ワールドシネマ入門

世界の映画監督14人が語る
創作の秘密とテーマの探求

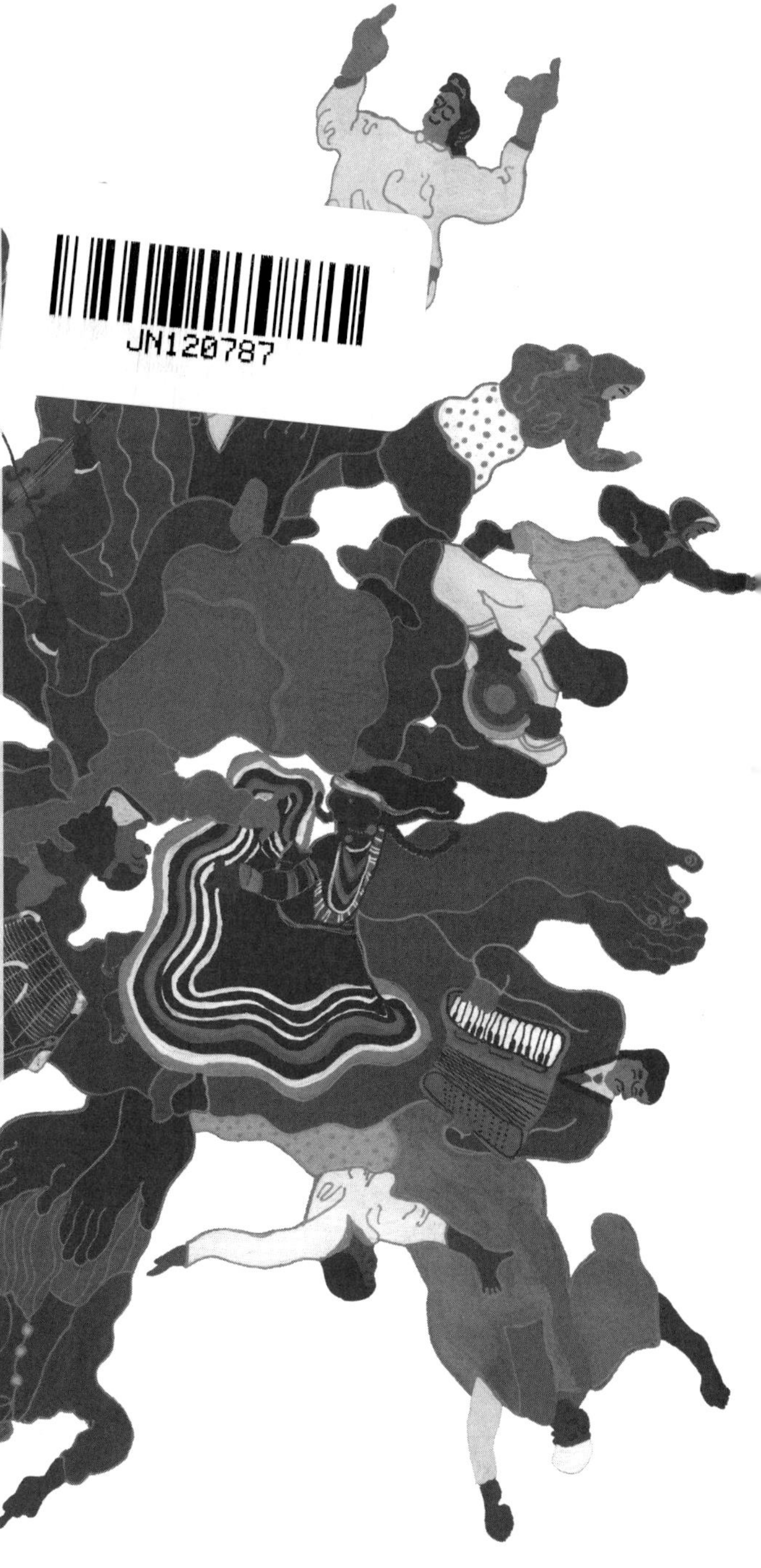

金子遊 著
住本尚子 イラスト

コトニ社

ワールドシネマ入門＊目次

第3章　東南アジアの歴史と現在

まえがき

わたしたちはふだん、さまざまな映画をシネマ・コンプレックス、テレビ番組、レンタルＤＶＤ店、動画配信サービスなどを通じて鑑賞しています。そこで見られる映画のほとんどが、ハリウッドを中心とするアメリカ映画、それから日本、韓国、フランス、イギリスなどの先進国で製作されたものばかりです。それでは、世界のほかの国々ではあまり映画は撮られていないのでしょうか。そんなことはありません。ユネスコの２０１６年の統計データによれば、製作本数の世界１位はボリウッドを中心とするインドで１９８６本、２位は中国の８５６本、３位は映画大国アメリカの６５６本、４位は日本の６１０本、５位は韓国で３３９本、以降はイギリス、フランス、ドイツ、アルゼンチン、イタリアとつづきます（「UNESCO Institute for Statistics UIS.Stat」を参照。http://data.uis.unesco.org/Index.aspx）。

それでは、どうしてほとんどのインド映画や中国映画などのアジア映画、中東やアフリカや南米でつくられているローカル映画はわたしたちの手元に届かないのでしょうか。それは、日本国内における映画興行の一般公開や、商業的な映像ソフトにおいてリリースされていないからです。それでも、わたしたちは何とかミニシアター、国際映画祭、シネマテークのプログラムによって、観られる機会は限られているものの、いま世界中でつくられている映画に触れることができます。

インド、中国、アメリカ、日本、韓国、フランス、イギリス、ドイツなどの映画大国以外の地域でつくられる映画のことをここでは「ワールドシネマ」と呼びましょう。この言葉は、アジア映画、ヨーロッパ映画といった地域別に映画を分類する方法とは別に、映画研究者のあいだで使われている概念です。ちまたでエスニック（民族特有の）料理という言葉が定着してから長い時間が経ちますが、「ワールドシネマ」もまた東南アジア、オセアニア、中東、アフリカ、南アメリカといった諸地域で暮らす民族に特有の映画という意味合いでは、「エスニック映画」といえるかもしれません。

東南アジア、オセアニア、中東、アフリカ、南アメリカといった地域でいったい何が起こっているのか、新聞記事やニュース報道やテレビ番組などを通じて、わたしたちはその情報を入手します。しかし、日本社会に生きている限り情報は十分といえません。なぜなら、北米やヨーロッパから入ってくる情報に比べて、それらの地域から入ってくる情報量は圧倒的に少ないからです。

戦争、テロリズム、移民や難民、自然災害、貧困、環境破壊、グローバリゼーションによる弊害など、世界ではさまざまな問題が起きています。物語の力と映像や音声のイメージによって成り立つワールドシネマには、言語や民族のちがいを越えて、わたしたちの五感をゆさぶり、そこに住む人たちのできごとが感情に訴えかけてくるという特徴をもっています。

本書の第1章「異文化を撮る」では、ポルトガル、アメリカ、日本といった先進国の映画監督たちが、自分の属する文化とは異なる土地で撮った作品、あるいはペドロ・コスタのようにアフリカからの移民を撮った作品について、その方法論や創作の背景にある考え方を語ります。そもそも彼らがどのようにして、文化的な他者というモチーフに出会い、それを映画の主要なテーマに据えることになったのか、創作のプロセスの説明を通じて披瀝します。それを読むことで読者は、遠くはなれた世界だと感じている地域にアプローチするための、さまざまな視座を手に入れることができます。

第2章「ユーラシア文化の多様性」では、ルーマニアやハンガリーなどの東欧から、西洋と東洋の境界にあるジョージアやキルギスを経由し、かつてペルシャと呼ばれた中近東の地域へと分け入ります。インド北部からトルコを経由して最後はスペインにまで達したロマ民族の歴史を映画に撮りつづけているトニー・ガトリフや、ジョージアとフランスを往還するオタール・イオセリアーニの亡命作家的な歩みから、ユーラシア大陸における映画づくりのダイナミズムが感得されることでしょう。モフセン・マフマルバフは自国イランだけでなく映画の舞台を隣国のアフガニスタンやジョージアへと広げ、アミール・ナデリはアメリカや日本やイタリアへ移動をくり返しながら映画を撮りつづけています。

第3章「東南アジアの歴史と現在」では、いままさに黄金期を迎えているフィリピン映画における巨匠たちの映画づくりの話題を中心にして、スペイン、日本、アメリカの植民地にされてきた太平洋の群島国家の現代映画史をひも解きます。そこには独立後も、マルコスの独裁政権によって傷ついた民衆の姿や、南部のイスラム過激派によるテロの動き、都市に形成されたスラム街での庶民のたくましい生活が描かれています。1970年代にポル・ポト率いるクメール・ルージュがカンボジアを制圧しましたが、その圧政下で人びとがどのような強制労働を強いられたか、その暗黒の歴史を映像化するリティ・パンの言葉から、今日のワールドシネマが負っている課題の大きさが伝わってきます。

そうはいうものの、世界中で起きているこうした深刻な問題において、映画が即座に何かを解決できるというわけではありません。むしろ複雑に生起する事態を前にして、映画は無力だといわざるをえないでしょう。しかし、フィクションとドキュメンタリーとを問わず、映画には少なくともそこに住む人たちの姿を映像に映しだすことができます。そして、ワールドシネマのカメラは彼(女)らのなかへ入っていき、フィクションという形でその人たちのおかれた社会の状況や家庭のあり方、彼(女)らの抱く愛情や葛藤をつぶさに見せることができます。それは社会的な事実ではなく、映画のつくり手によるイマジネーションにすぎないけれども、ワールドシネマを観ることを通して、わたしたちは文化的な他者の内面を想像するきっかけをつかめるのです。

映画にはこの広い世界で起きている問題をただちに解決する力はありませんが、そこに問題があるということを指し示し、人びとに再考をうながすことはできる、ということです。さあ、筆者による道案内はここで終わりです。この先はみなさん自身の足でこの書物のなかを踏破しながら、柔軟な感性をはたらかせていろいろなことを感じとってください。1ページ1ページをめくっていくことで、さまざまな言葉、風土、食べ物、ファッション、生活習慣、信仰、音楽があふれている「世界映画《ワールドシネマ》」のコミュニティに参画することになるのです。

第1章　異文化を撮る

①リスボンのアフリカ移民——ペドロ・コスタとの対話

［ポルトガル＆カーボ・ヴェルデ］

ペドロ・コスタ（1959年生まれ）は、リスボンのスラム街を題材にした『骨』（1997年）や『ヴァンダの部屋』（2000年）で知られるポルトガルの映画作家である。アフリカ大西洋岸の離島カーボ・ヴェルデから、ポルトガルへ渡ってきた黒人移民を題材にした『溶岩の家』（1995年）や『コロッサル・ユース』（2006年）の続編といえるのが、『ホース・マネー』（2014年）である。主人公のヴェントゥーラをはじめとして、実在のカーボ・ヴェルデからの黒人移民たちが出演し、過去の共同的な記憶、彼らの夢、彼らの幻想を混在させながら表現する映画になっている。どうして、このようなテーマと向き合うなかで、映画は現実と虚構が混ざりあうものになったのか。

アフリカ移民たちの映画

金子遊　２０１４年の『ホース・マネー』を見て、やはり１９９５年の『溶岩の家』を思いだしました。あの映画ではイネス・デ・メディロスが白人の看護師として、ポルトガルのリスボンの工事現場で怪我をした黒人移民をカーボ・ヴェルデへ移送するという、ヨーロッパ人から見られたアフリカの物語構造になっていました。『ホース・マネー』は黒人移民たちの側から、彼らの過去や記憶を深く掘り下げた作品になっていますが、ここ20年で視点が変わった理由は何かあるのでしょうか。

ペドロ・コスタ　ことの次第でそのようになったのであり、今後もどのようになっていくのかは自分でもわかりません。『溶岩の家』では黒人移民の男が工事現場の足場から落ちたために、体が傷ついて、意識を失っている状態でした。『ホース・マネー』では、ヴェントゥーラたち黒人移民の体は、長年の労働によってつかい果たされており、今度の映画では彼らの精神が蝕まれていくところを描いています。そのなかで、彼らの記憶や思い出までが、侵蝕されている状態にあるわけです。

金子　『ホース・マネー』を最初に見た印象は、とても黒人たちのアフリカ性が前面にでた映画、ということでした。

コスタ　この映画に白人がいないわけではないのですが、ほとんど画面には映らず、声だけが聴こえるようにしています。医者、刑務所の看守、役人といった権力構造によって与えられた役割のなかで、白人たちはロボットとして動くものとして、声だけで登場する。ヴェントゥーラと対話する黒人女性は映画のなかで大きな役割をもっているが、彼女はカーボ・ヴェルデからたずねてきた人物です。ヴェントゥーラと彼女の過去の関係はわかりません。彼女は良いものも悪いものも含めて島のニュースを運んできます。彼女は最後にヴェントゥーラに手紙を渡すが、彼女はその手紙そのものなのではないかとわたしは考えています。子どもは想像上の友だちと話すことがあり、そのような存在がないと生き残れないときがある。それをヴェントゥーラのような大人がしているのかもしれず、彼女が現実なのか空想なのかはわかりません。

金子　主人公のヴェントゥーラは、リスボンのスラム街で暮らした仲間、むかしの仕事仲間、戦争にいったときの戦友などと会います。これは彼の実際の人生に基づいているのでしょうか。

コスタ　設定としては少し抽象的かもしれないけれど、ほとんどがヴェントゥーラの人生からきています。彼は一度も文章というものを書いたことがありません。彼は自分の記憶と自分の話し言葉をもとに、それを様式化して表現しています。わたしたちがセリフを書いているわけではなく、チャップリンがやった手法の「カメラ付きリハーサル」に近いでしょう。カメラのスイッチを入れて、ヴェントゥーラが自分の思い出を語る行為を何度もくり返しながら、だんだんと変えていき、完全なものに近づけていくやり方です。その過程のなかで、いろいろなものが選びとられ、まとまったり発展したりして、最後には『ホース・マネー』で見られるような形になりました。そのなかで脚色されたり膨らんだりしたものがあるにせよ、すべては彼の実際の記憶からきたものです。

ペドロ・コスタ監督

金子　そうであれば、ヴェントゥーラたちが思いだしやすいように、ロケーションも実際に彼らが働いたレンガ工場や会社、病院など実人生と関係のある場所で撮っているのでしょうか。

コスタ　レンガ工場は彼が働いていた場所ですが、いまは廃墟になっています。石が転がって、建物が壊れてしまった元工場において、彼が自分の記憶を位置づけることはとても難しい。その廃墟の上に、自分の苦しみを位置づけていくのです。ヴェントゥーラに限らず、彼らカーボ・ヴェルデ人たちがいま住んでいる場所は、病院でも刑務所でも社会復帰施設でも、同じようなトーンをもっています。映画に登場する病院の1つは、実際にヴェントゥーラが入院した場所です。なるほど、そうやってだんだんとドキュメンタリー的な話題へもっていこうとしてますね（笑）。

金子　そういうつもりでもないですが（笑）。ところで暗い背景のなかで、人物にスポットをあてるような照明も特徴的ですね。

コスタ　現代の観客はあまり慣れてないかもしれないが、1940年代には当たり前の照明の方法でした。この映画のライティングをお金のかかった「映画」と比べるのは無理です。30年代から50年代くらいのB級映画、あるいは現代のゾンビ映画では似たようなことをやっています。わたしたちには30個の照明があるわけではなく、3個のライトしかないので、できることが限られたなかで発明をしなくてはならない。ジャック・ターナー監督や彼の撮影監督がやっていたことに近い。あの頃のB級映画は、大作をつくったあとのセット、衣裳、照明をつかっていました。いわばちゃんとした「映画」の残り物でつくっていたのです。わたしたちは企業の社員食堂へいって、食べ物の残りで映画をつくっているようなものです。わたしのつかっているカメラはスーパーHDのプロフェッショナルな機種ではなく、古くて安いその辺のお店で変えるカメラにすぎません。

記憶に形を与える

金子　たしかに残り物といえるかもしれませんが、『ホース・マネー』のヴェントゥーラの存在感には威厳のようなものを感じます。

コスタ　ヴェントゥーラが神々しく見えるのは、彼が単に自身の過去を背負っているだけでなく、女、子ども、年寄りを含めたリスボンのカーボ・ヴェルデからの黒人移民の共同体としての記憶を背負って、彼が存在しているからだと思います。彼らの記憶というものは、同時にわたしが書いた脚本でもあるわけですが、それを見せるとプロデューサーに叱られます。1ページ、2ページがあって、あいだが抜けて、いきなり5ページに飛んだりする脚本だからです。そのあいだはどこに消えてしまったのか？　アフリカ移民たちはそのように自分たちの記憶の一部を盗まれてしまったのです。残されたセットだけではなく、盗まれて残りかすとなってしまった彼らの記憶をつかって、わたしは脚本を書き、それを映画に撮っている。彼らは記憶や身体は一部が欠損した状態にあり、そのような状態で彼らがどうやって生きていくのかと心配になります。

『ホース・マネー』
（写真提供：シネマトリックス）

金子　『溶岩の家』をカーボ・ヴェルデで撮影して、その島で預かった手紙をあなたはリスボンのスラム街であるフォンタイーニャス地区へ届けて、そこで暮らすヴァンダやヴェントゥーラたちと出会った経緯があります。それからずっと、工事現場やレンガ工場やさまざまな労働においてつかい果たされた移民たち、あるいは低所得者や麻薬中毒者である彼らを撮りつづけている動機はどこにあるのでしょうか。

コスタ　わたしが彼らに出会って動けないだけではなく、彼らもわたしと出会って身動きがとれなくなっているのです。わたしの仕事は映画を撮ることだけではありません。それだけでは十分だと思えないのです。この映画は彼らのためにつくられています。そして、そのことを彼らに証明してみせなくてはならない。そうしなくては、映画もまた彼らから奪うものになってしまいます。ドキュメンタリーということでいえば、ロバート・フラハティの時代から現代にいたるまで、そのあいだに多くのものが失われてきました。映画は本来、路上で生まれ、工場で生まれ、牢獄で生まれたものです。そこにいる人たちのためのものであって、その人たちから収奪するものであってはいけない。映画はリュミエール兄弟の『工場の出口』（1895年）からはじまり、彼らが所有する工場からでてくる労働者たちを撮ったものが、映画がはじめてスクリーンで投影されたものでした。その映画のテイク2は、リュミエール兄弟が労働者や女の子たちの動きを指示して演出したものです。そこに立ち戻ることが、あなたたちドキュメンタリーをつくる人たちの義務としてやらなくてはならないことでしょう（笑）。

金子　『ホース・マネー』のなかで、黒人移民たちが労働歌や故郷を想う歌をうたいますね。ヴェントゥーラと黒人男性がふたりで座ってうたい、ふたりとも歌の一部分を忘れていて、歌詞の記憶に齟齬がでるシーンが印象的でした。

コスタ　彼らにとって歌を記憶することは重要です。なぜなら、彼らは無文字社会に生きてきて、オーラルな形で共同体の記憶を語り継いできたからです。たとえば、暖炉の前でみんなが集まって物語を語るとか、あるいは歌をうたうことが彼らの口承文化の本質的なところにある。あのシーンは重要なことを提示していると思います。彼らの歌のどちらが正しいのかわかりませんが、何か大きなものが失われてしまっている。共同体がバラバラになっていくことの、１つの現れなのでしょう。

『ホース・マネー』
（写真提供：シネマトリックス）

ドキュメントの不可能性

金子　ヴェントゥーラはひとりの実在の人物でありながら、カーボ・ヴェルデからのアフリカ系移民の集合的な記憶を体現しているのでしょう。その場合、映画の表層上でフィクションと現実が混ざっていようが、それが劇映画とかドキュメンタリーとか呼ばれようが、どうなっていようが、どのみちあなたは彼ら移民の集合的な記憶や、民族的な歴史を記録していることになるのではないでしょうか。

コスタ　なるほど……。いや、まじめな話をすると、ドキュメンタリーという言葉には「文献《ドキュメント》」という言葉が入っていますよね。わたしは大学で歴史学を学び、いまでも歴史にとても興味があります。特にヨーロッパの中世史に。そうすると文献として歴史が残されているのは、王様、女王、貴族といった偉いとされる人たちのものです。文献や記録や肖像画が残っていて、文献から歴史をたどることは可能です。しかし、大多数の民衆や下層階級の人たちに関しては、彼らはわたしたちの祖先であるわけですが、何も残っていません。それは文字ではなくて、歌や詩といった語られた言葉で口述伝承されてきたものなのです。それが歴史として、きちんと収集されて解読された状態にあるわけではない。ですから、それが権力者や一般の人たちに関する映画であったとして、1つの解釈や1つの視点からつくられたにすぎないものを、どうして「文献《ドキュメント》」と呼べるのかという疑問があります。それはドキュメントと呼べないはずです。それは単に、ヨーロッパのひと摑みの人たちによる物の見方、現実の解釈の仕方にすぎない。本来的にいえば、映画が文献《ドキュメント》になるはずはないのではないでしょうか。

金子　うーん、そうですね……。

コスタ　あなたが指摘したように、ヴェントゥーラたちを撮った『コロッサル・ユース』や『ホース・マネー』のような映画にしても、彼らの苦しみや痛みを完全に体現しているわけではありません。映画は上か下か左か右かわかりませんが、少しズレたところでそれをあつかっています。大いなる苦しみや実存の危機に直面した人は、本来の自分がここにあるということを簡単に把握することはできないのです。その一方で、映画というものはいまだ定型に縛られた不自由な表現形態であり、それをするだけの十分な力がないということもいえます。たとえば、サミュエル・ベケットの文学や演劇と比べたとき、映画はまだよちよち歩きの赤ん坊に見えるかもしれません。ベケットの本のあの1ページに相当することを、映画がこれまで実現したことがあるでしょうか。あるいは、プルーストでもいい。『失われた時を求めて』を読めば、彼が朝おきて、目を開けて、ベッドから足をだすまでに30ページは費やしています。そんなことができた映画があるのなら教えてほしい。ある種の実験映画やタルコフスキーの映画には、少し近いものがあるかもしれない。そういう映像作品があるとしたら、それを本当の「ドキュメンタリー」と呼びましょう。

金子　マドレーヌのにおいが漂ってきて、主人公がベッドのなかでその香りを嗅ぐまでに、2時間かかる映画を是非あなたがつくってください。

コスタ　映画表現はそれをやるべきですね。冗談は抜きにして、映画はまだ警察や病院と同じようなレベルで物事をなしています。あなたが交番へいきます。すると、警察官が「名前は?」「年齢は?」「出身地は?」「仕事は何だ?」と訊いてきます。いまの映画やドキュメンタリーがしていることは、その枠内に入るものと近いのです。多くのドキュメンタリー映画は、警察や検事が証拠を固めていくのと同じようなプロセスにほとんどの時間と労力を費やしていて、プルーストがベッドから床へ足を動かすような描写をきちんと見せていません。それは「わたしはこのような者です」と証拠づける映画と「わたしは何者なのか?」と問う映画のちがいです。

金子　その話で思いだすのは『ホース・マネー』で、黒人移民であるヴェントゥーラが役人から質問攻めにあい、彼自身ではなくむしろ公的な機関による住民登録によって、彼のアイデンティティが決められてしまう場面です。

コスタ　そうです。わたしたちは人生の多くの時間を自分が生まれて、ここにいることを証明するために費やしています。それを小津安二郎の映画タイトルに喩えるならば、『生れてはみたけれど』ということです。多くの人にとって人生は、学校の廊下と警察の留置場と病院のあいだをいききしながら、何度も自分の名前をいい、アイデンティティを証明してみせることのくり返しです。ポルトガルでは、わたしが少し怪しい風貌をしていたり、浅黒い肌をもっていたりしようものなら、警備員か警察官がやってきてすぐに「身分証明書を見せろ」といいます。『ホース・マネー』の撮影中、ヴィタリーナ・ヴァレナが自分の出生証明書を読みあげるシーンで、そこに書かれている記述を見ているうちに、彼女はおのずと泣きだしてしまいました。あれは本物の彼女の出生証明書をつかっていたのです。小津安二郎に深い敬意をこめて『ホース・マネー』の副題に『生れてはみたけれど』と付けるべきなのかもしれません。

小津安二郎の実験性

金子　先ほどサミュエル・ベケットの話題がでましたが、たしかにペドロ・コスタ監督の作品には、ベケットの小説や劇作と共有するものがあるような気がします。数学的、幾何学的な秩序のなかで様式化しながら、決して現実に背をむけず、「わたし」というものを「自分探し」などとは無関係な、もっと深い位相で掘り下げていく特徴が似ています。

コスタ　サミュエル・ベケットによる蓄積のようなものをつかって、わたしたちは映画がつくってきた文法を壊して、その先へいくべきだと思います。映画言語といういい方がありますが、わたしには映画が言語だとは思えません。映画は言語以前にあるもの、もしくは言語以降にあるものではないか。各ショットに記号のような意味をもたせることはできません。わたしが映画に期待するのは、文章に書かれることのないような、たとえば音楽のようなものに近づくことです。脚本や台本もまた書かれたテキストであり、文献《ドキュメント》にすぎません。撮影の現場に脚本をもっていき、プロデューサーや監督が「この映画を脚本に則してつくれ」というならば、脚本こそがドキュメントであり、その映画の存在証明《アイデンティティ》をつかさどる証拠となるのです。劇映画に限らずドキュメンタリーにも台本はあり、それは実人生のあらゆる場面にも存在しています。映画はそのような書かれた文章から遠ざかり、自由になって、何か別の次元で仕事をすべきなのです。

金子　それは言語を介さずに、直接的に映像や音のイメージと格闘することを意味するのでしょうか。

コスタ　映像や光や音をどのように組織していくかということです。映画の世界では、どうして同じような方法で、飽きもせずにくり返し作品がつくられているのでしょう。類型化された映画のつくり方を破壊する何かを発明しなくてはいけない。「シネマ」とは端的にいえば、カメラをはじめとするさまざまな機器の集合にすぎません。それが人間と現実のあいだに常に介在しているわけです。単なる機械を信奉するのは愚かで危険なことです。ソニーやパナソニックといった大企業の奴隷になり、映画らしい撮り方をして、映画らしいエンドロールをつけて、さも映画をつくったような気になってしまう。わたしがはじめて『ヴァンダの部屋』をもって山形へきたとき、MiniDVのパナソニックのAG-DVX100というビデオカメラを買いました。そのカメラにはさまざまな機能を紹介するステッカーがゴテゴテと貼ってあった。わたしは「お前を三脚に据えつけて、ただ見ることだけに従事させてやる」とそのカメラにいってやりました。それは東京の高層ビルのどこかにいる偉い人たちに抵抗する態度でもあるのです。映画が機器にすぎないことを理解してはじめて、人は自分の映画へ近づくための第一歩を踏みだすのです。

金子　そこまで映画の制度性に抵抗するのであれば、アヴァンギャルドの作家たちのように、スクリーンと暗闇と観客があって、映画がそこへ投影されるという制度を疑うこともあるのでしょうか。

コスタ　それについては、反対の方向から考えてみましょう。ゴダールやわたしの映画が形式的すぎる、形よくつくりこまれすぎているという批判があります。その一方で、観客は四角いフレームに映るものしか見ないし、それしか見えないのです。映画を原初的に考えれば、四角いフレームのなかに何を入れて、何を入れないかをつくり手が決定づけることです。これは美学的な問題ではなく、政治的な選択です。『ホース・マネー』のような警察や役人や白人をフレームに入れないというのは、最初の選択の時点ではとても政治的なんです。映画作家は職人《アルチザン》に過ぎません。

ペドロ・コスタ監督といえば、
カーボ・ヴェルデ諸島出身のアフリカ系移民の多く住む
フォンタイーニャス地区を舞台とした映画を撮っていますが、

カーボ・ヴェルデ共和国

ってどんな国？

15世紀まで無人島だったカーボ・ヴェルデ諸島。
人間の歴史が始まるのは15世紀半ばのポルトガル人の入植以降で、すぐに植民地化が開始。16世紀から17世紀にかけてカーボ・ヴェルデは、アフリカとアメリカ大陸を結ぶ奴隷貿易の中継地として栄えました。
その時、ポルトガル人入植者の男性と、黒人女性の間で混血が進み、
クレオール的な社会がつくられました!!
↳植民地生まれとか、そういうかんじ!!

文化も混ざって、音楽もいろいろ!!

Funaná（フナナ）
アコーディオンを多用する、アフリカ色強めの音楽。独立以前はポルトガルの権威に非難されていたとか。

Cola Zouk …カーボ・ヴェルデポップス

Batuque… アフリカを体現するような音楽

Morna（モルナ）
カーボ・ヴェルデにて一番有名と言ってもいいジャンル。フォークミュージックに分類できるけど、ヨーロッパ文化の楽器や、アルゼンチンタンゴっぽさもある。
故郷や家族に対する想いを歌うことが多く。

Cesaria Evora（セザリア・エヴォラ）という歌手は有名!!

このようなお方です!!

わたしたちはほかのさまざまな職人たちと同じように、その四角いフレームのなかにきっちりした形を与えるために努力をします。映画の内容は形式なしには存在しないし、映画の形式は内容を与えられなければ存在しません。

小津安二郎がふたりの人物の切り返しショットを撮るとき、たがいにふたりの目線があっていないという指摘があります。小津の映画では、スクリーンのなかにいる女性や子どもが、スクリーンごしにわたし（観客）を見つめてくるので、ギョッとさせられます。小津はもちろん意図的にそれをしていた。彼が映画を撮影しているときの写真をよく吟味すると、カメラの横に縦の線を書いて、俳優に「ここを見なさい」と指示していました。俳優が話すときに、話し相手ではなく、カメラでもなく、観客の方に目線をむけて話すように演出していたのです。シャルル・ボードレールの言葉を引用していえば、「美しいものはいつも奇妙だ」ということです。わたしが好むのは、単純さのなかで内容が形式にぴったりと一致することです。それが定まれば、そこに小さなバリエーションを入れて、いくらでも戯れることができます。J・S・バッハ、チャーリー・チャップリン、小津安二郎といった人たちは、そのような小さな実験をくり返して多様なバリエーションを創出することに、はまりこんだ芸術家なのでしょう。それは一歩まちがえれば、平凡で、古典的で、保守的で、定型にすぎないものになってしまうかもしれない。でもわたしからすると、小津安二郎以上に革命的で実験的な映画作家を思い浮かべることができないのです。

（通訳＝藤原敏史）

②アフリカとメラネシアの民間信仰——ベン・ラッセルとの対話

［バヌアツ&スワジランド］

ベン・ラッセル（1976年生まれ）はアメリカ出身の映像作家で、ロサンゼルスを拠点にアーティストやキュレーターとして活動している。ファウンド・フッテージの作品、インスタレーション作品、パフォーマンス作品などの実験的な映像作品は、欧米の美術館や国際映画祭で高く評価されている。近年は16ミリフィルムで撮影した映像人類学的なアプローチのドキュメンタリー作品を発表している。なぜこの作家は、メラネシアのバヌアツ、地中海のマルタ島、アフリカ南部の祭儀といった遠くはなれた異邦の地におもむき、フィルム媒体で作品を撮りつづけているのか。

ポスト・コロニアル理論から学ぶ

金子遊　近年の作品と上映パフォーマンスを拝見して、ベン・ラッセルさんの作品に何かしらの知の基盤があるのだろうと感じました。大学時代はどのような専攻で、どのような興味をもっていたのか。そこから映像製作へどのようにむかったのか教えていただけますか。

ベン・ラッセル　大学に入るまでは、ただのカリフォルニア南部の典型的な少年でした。週に2、3日海岸でサーフィンをして、映画もハリウッド映画しか見ていませんでした。MTVには影響を受けたし、高校時代に見たテレビシリーズの『ツイン・ピークス』（1990－91年）にも、何か普通ではない物語を志向するきっかけをもらったと思います。実験映像やドキュメンタリーにむかったのは大学へ入ってからです。オーストラリアのニューサウス・ウェールズ大学に留学したときに、ドキュメンタリーの歴史、民族誌学、現代アートの勉強をしました。

アメリカではブラウン大学に通いました。そこでは映像製作をする前に映画批評、映画理論、カルチュラル・スタディーズのコースが必修でした。それを1年半つづけた。専攻は芸術記号論です。90年代後半はポスト・コロニアル理論がとても強い影響力をもっていて、わたしがとったコースでは理論と製作のどちらかに偏ることなく、両者を対等にあつかい両者を学ぶというのが主流の考え方でした。

金子　『トリップス7番（バッドランズ）』（2010年）というHDで撮った10分ほどの作品が刺激的でした。鏡をうまくつかった実験映像だと思うのですが、どのような発想で、構成をどのように考えて、あの作品をつくったのか教えてください。

ラッセル　マイケル・スノウの『セントラル・リージョン』などから大きな影響を受けて、鏡の反射ということと、風景における物体というものの重要性について考えていました。あるいは、マヤ・デレンの『午後の網目』のラストシーンでも、割れた鏡のむこうに海が見えるシーンや、鏡の破片が砂浜に散らばるショットがありますね。

この作品をつくった当時は、何か言語にできないことをしようと思い、映像による描写のシステムに力があるのではないかと考えていました。オーストラリアのバッドランズ国立公園へいき、鏡に映った夕焼けを見ていたとき、実際の夕陽が沈んでいくのと、鏡に映った夕陽のイメージとのあいだにタイムラグを感じた。あるいは、日没と自分のあいだにタイムラグが生じていた。最初はそのアイデアを映像にしようとしたのですが、うまくいきませんでした。

それで、ルースさんという女性を被写体にして、回転する鏡をつかって長回しの撮影をするという手法になりました。この作品の美点はみなルースさんという女性の存在や、鏡のなかに割れ目があったことなど、予定していなかった偶然的なものです。鐘のゴーンという音についても、撮影の現場にいってから思いつきました。松本俊夫監督の『薔薇の葬列』に「ラリるとどうなるの？」「それは雲の上にいるみたいな感じ」という会話があったと思います。そんなところからもインスパイアされていると思います。

ベン・ラッセル監督

バヌアツのカーゴ・カルト

金子　次に「『快楽の園』3部作」についてうかがいたいと思います。バヌアツの離島で撮った『忘却の前にやり遂げなくてはいけない』（2013年）、地中海のマルタ島で撮った『アトランティス』（2014年）、それから南アフリカのコサ人の祭儀と夢見の語りを取材した『祖先への挨拶』（2015年）の3本です。これらの作品のなかでも鏡を効果的に使用したり、カメラの前に赤いフィルターやレンズをかざしてみたり、特徴的なスタイルが見られます。

ラッセル　この3部作では、それらの所作はすべてちがう効果を目的にしておこなっています。『アトランティス』で鏡という装置を使用したのは、自分が島にいながら島を撮ることが難しかったので、もう1つの視点をつくる必要があったからです。それと同時に、鏡は1つの画面のなかに異なる複数の場所をもちこむことができる。それは、あらゆる場所がアトランティスになりうる可能性があるということです。

それから『祖先への挨拶』における赤いフィルターに関してですが、夢の空間を映画の空間として描きたかったのです。ブリオン・ガイシンやウィリアム・バロウズが60年代につくった、目をつぶって楽しむフリッカー装置「ドリームマシーン」がありましたよね。ガイシンは、車に乗っているときに目を閉じて、木々の木漏れ日が自分の頭上を通過していくのを感覚していたときに、幻覚が生まれたことがあるといっています。そんなことも考えながらつかった手法です。

金子　わたしは昨年パラオのペリリュー島へいって、海に沈んでいる日本軍の飛行機や船の残骸を見てきたので、バヌアツで撮られた『忘却の前にやり遂げなくてはいけない』に興味をもちました。島民たちが毎日アメリカの星条旗を掲げるシーンや戦跡に、植民地における歴史の重みを感じます。またバヌアツは欧米諸国が植民者として入り、その影響でメラネシア人のあいだに「カーゴ・カルト」の民間信仰が形成されたことでも有名です。まず、この作品の信仰的な背景を教えていただけないでしょうか。

ラッセル　日本がハワイの真珠湾を攻撃したあと、次は南太平洋が激戦の場になるだろうと考えて、アメリカはバヌアツ共和国に軍事基地をつくりました。実際はソロモン諸島というもう少し北にある島嶼での戦争になりましたが。戦時中は100万人ものアメリカ兵が、バヌアツを通過するという現象がおきました。そこには機材や物資が豊富にあるのに戦闘はおこらなかったので、兵隊たちは退屈したんですね。

この時代にアメリカの黒人兵が多くバヌアツをおとずれました。メラネシア人ももともと肌が黒いので、地元の人たちはアメリカの軍事基地に雇用された。米軍基地では待遇もよいし、バヌアツ人をきちんと人間としてあつかったのです。それまで植民地支配をしてきたイギリスやフランスによるひどいあつかいに比べて、アメリカ人は良心的だという認識が広まった。映画のなかでバヌアツ人のアイザックが話すように、ジョン・フラム信仰やカーゴ・カルトの信仰は、一種のレジスタンス運動だったのではないかとわたしは思います。それまでの欧米の宣教師による植民地主義に抵抗する運動として、このカルト運動がおきたのではないでしょうか。

『祖先への挨拶』
© Ben Russell

カーゴ・カルトでは、宣教師たちがもちこんだ金銭に象徴される物質文化を拒絶することが、1つの特徴となっています。それは拒絶するだけでなく、最後にはまわりまわって自分たちのもとに富として戻ってくるという信仰を抱えている。映画に登場したアイザックの祖父は、抵抗運動をしたかどで逮捕されました。その祖父が解放されたのは1957年2月15日だったと聞いています。

カーゴ・カルトは1920年代にはじまり、さまざまな形で具現化しました。当時、オーストラリア人がやってきてバヌアツ人を拉致し、奴隷化してつかったという歴史があり、彼らは二度と島へはもどってこなかった。このことはバヌアツにおける祖先崇拝に大きな影響を与えた。祖先が帰ってこない状況のなかで、今度はアメリカが入ってきて船や飛行機でいろいろな富をもちこんだとき、それらを「先祖たちが富をもって帰ってきてくれたんだ」と人びとは考えました。そこで祭儀的に模倣した波止場や飛行場をつくり、祖先と近代文明によって富がもたらされることを信仰したわけです。

金子　おもしろいですね。アイザックさんが「ジョン・フラムはジーザスみたいなものだ」と映画のなかでいうのは、ジョン・フラム信仰をどのようにとらえているからでしょうか。

ラッセル　アイザックはキリスト教徒ではないので、比喩としてそういったのでしょう。ジョン・フラムのラストネームの由来は、アメリカの黒人兵がラジオで「アラスカのジョンがお届けしました（This is John from Alaska）」とか、無線で「こちらは南部のジョンです、聞えますか」と話しているのを聞いて、現地のバヌアツ人がそこからとったのではないかといわれています。ですが、わたしはジョン・フラム信仰もまた、現地のバヌアツ人による意図的で政治的な抵抗運動なのだと考えています。

バヌアツの島々におけるいろいろな集落に観光客がやってきて、わたしのような映像作家がおとずれることも、先祖がもたらしてくれる恩恵の1つだと彼らは考えます。アイザックはこの2、30年のあいだ、外からやってきた人に説明をしつづけており、『祖先への挨拶』に収録したインタビューを見ても、彼がリラックスして受け答えをしていることがわかります。また、彼らは子どもの教育にお金をつかわず、学校へやることもなく、集落のなかで面倒を見るという運営をつづけています。

『祖先への挨拶』
© Ben Russell

金子　わたしは人類学者のマイケル・タウシグが書いた『ヴァルター・ベンヤミンの墓標』を翻訳したので、人類学とフィクションの融合、あるいはフィクション批評ということを多少理解しているつもりです。ベンさんのお話をきいていると、1冊の民族誌を物すことができるほどの研究と調査をしているようですが、『忘却の前にやり遂げなくてはいけない』といった作品を見ると、実験的な民族誌（experimental ethnography）になっていて、散文よりは映像による詩的表現に近いものになっているのではないでしょうか。

ラッセル　わたしが知っていることは、読書からえた情報にすぎません。わたしは自分の映画に情報の伝達や、知識の説明ではないものを求めています。文化人類学や民族誌の伝統に、わたしが連なろうというのではないのです。

スワジランドの憑依宗教

金子　『祖先への挨拶』では、スワジランドのペンタコステ派の儀式と、幻覚を誘発する植物をつかって夢を解釈する南アフリカのコサ人の祈禱師が登場します。

ラッセル　スワジランドには、南アフリカから追いだされたズールー人の末裔が住んでいます。イギリスからの植民者たちにキリスト教徒として教化されました。その布教は世界中どこでも同じで、いわば中華料理みたいに地元にもともとあったものと融合させて食べやすくしていくのです。

ズールー人の預言者によって立ち上げられた教会がありました。その預言者は南アフリカに鉱山労働にやってきて、身分証明書をもっていなかったためにアパルトヘイト時代に逮捕された。牢獄に入れられているときに、夢のなかに天使がでてきて「あなたはキリスト教を通して人びとをたすけるべきだ、故郷へ帰りなさい」と、キリスト教徒でもないのに託宣を受けたという話です。

一方、スワジランドでは20代後半の女性の半数程度がＨＩＶに感染しているといわれるくらい、その病気が蔓延しています。そして、ひどい独裁者に支配されており、宗教が、人びとが前向きにとらえられる唯一の救済手段となっています。ズールー人のアニミズムとキリスト教ペンタコステ派が混ざりあった形で存在している。映像にあるように踊ってうたってトランス状態になり、異言を話します。ピーター・アデアの1967年のドキュメンタリー映画に『ホーリー・ゴースト・ピープル』があります。ウェストバージニア州のアパラチア山脈で、蛇使いをしているペンタコステ派の共同体を撮ったものです。そこでも同じ現象がおきますが、登場するのは白人の貧しい人たちです。わたしの作品の最大のちがいはそこにあると思います。

金子　『祖先への挨拶』で監督はペンタコステ派の祭儀のなかに入り、それを説明するのでもなく、客観的に記録するのでもない。自分のパースペクティヴから撮っている。マヤ・デレンの『聖なる騎士たち』という、彼女がハイチのヴードゥー教の祭儀の内側で撮ったフィルムの方法論を思いだしました。この作品の後半で、祈禱師の修行をはじめた少女が夢語りをしますが、その内容がおもしろくて身震いしました。植物の根っこをかじってトランス状態に入り、夢のなかでおきたことを話すというのは、ヤキ・インディアンの呪術を書いたカルロス・カスタネダの世界そのままです！

ラッセル　ほかの撮影方法は考えられなかった。『聖なる騎士たち』でマヤ・デレンは音声なしで撮っていますよね。彼女の時代、彼女の立場ではナイーブなものがいろいろとあったのだと想像します。わたしは映像と音声の両方を撮っています。

カスタネダはフィクションだったのではないでしょうか（笑）。南アフリカのコサ人の祈禱師が麻薬物質である植物の根を食べるのは、強力な夢を見るためです。ここには映画にとって、二重の不可能性が横たわっています。麻薬を摂取した人の意識でおきたことを映画にするのは不可能です。また、夢というものも少女に語ってもらわなければ、わたしたち第三者はそれを見たり感じたりすることはできません。その二重の不可能性を、自分が映画でどのように描けるかという挑戦でした。サウンドトラックには、その根っこを調理してトリップの準備をしているときの音を流しているのですよ。

金子　バヌアツで撮った『忘却の前にやり遂げなくてはいけない』では、島でおきた歴史や記憶といった不可視のものを映像で表象しようとします。スワジランドで撮った『祖先への挨拶』では、目に見えない祖霊や精霊と人びとが交感しながら、ダンスや音楽によって神的な存在とやりとりするさまを描いています。コサ人の夢語りも不可視なものの表象です。あなたの作品は、映像で表象できないものとの格闘のように見えます。それは不可視なものを記録するドキュメンタリーの試みといえるかもしれません。

ラッセル　そのとおりです。映画が最初から根源的にもっている野心は、まさにそれだと思うのです。たとえば、恋愛映画はまったく物質的ではない人間の感情を、映画のなかにとらえようとします。映画が人間の顔や背景の建物を映しているかぎりは、それは物理的なものの反映にすぎません。わたしたちが映画のなかで再生しようとするもの、そしてスクリーンの上で反復されるものは、本質的には目に見えないものなのではないか。わたしが「サイケデリック・エスノグラフィー」と呼び、そのような現象に興味をもっているのは、その経験の中心にトランス（忘我、

植物の根っこをかじってトランス状態ってどんなだろう…？
そこで調べてみました!!
麻薬植物
ケシ
ケシ科ケシ属に属する一年草の植物
アヘンはこのケシの果実（ケシ坊主）を傷つけて出た果汁を乾燥させたもの
かわいい!!
アサ
中央アジア原産とされるアサ科アサ属で大麻草とも呼ばれる一年生の植物
アサの花冠葉を乾燥または樹脂化液体化すると大麻（マリファナ）になります!!
コカ
コカノキ科コカ属の常緑低木樹
コカの木に含まれるアルカロイドがコカインになるよ
カート
ふつうのはっぱにしかみえない…!!
熱帯高地に自生するニシキギ科の常緑樹の一種
カートの葉には、興奮性の物質であるカチノンおよびカチンが含まれる
イボガ
キョウチクトウ科サンユウカ属の多年生の低木。
インドールアルカロイドの一種で、幻覚剤でもあるイボガインを多く含む
バニステリオプシス・カーピ
南米のキントラノオ科のつる植物
ここからアヤワスカという幻覚剤をつくる
どうやらシャーマニズムの儀式に使われているようで…
アヤワスカで調べると、トリップした絵が沢山でてくるよ!!

憑依）現象があるからです。

人類学の学者や研究者たちが、そのトランスという現象に何度も立ちもどっていきます。ある人が主観のなかで経験するトランスの状態を、ほかの人が表象することは不可能です。それにもかかわらず、マヤ・デレンの『聖なる騎士たち』のような映画がつくられるのです。わたしのような映像作家が目指すのは、ただ記録することではなく、創造すること、生産すること、生成することそれ自体にあります。新しい器のなかに不可視の経験を入れ替えて、それを表現してみせることなのですね。

③ウズベキスタンを旅する合作映画——黒沢清との対話

［ウズベキスタン］

ホラー映画やスリラーのジャンルで世界的な名声を勝ちえてきた黒沢清（１９５５年生まれ）監督。近年はフランスで撮った『ダゲレオタイプの女』（２０１６年）や、ウズベキスタンでオールロケの『旅のおわり世界のはじまり』（２０１９年）など、海外で撮影する機会が増えている。さらに『岸辺の旅』（２０１４年）や『散歩する侵略者』（２０１６年）では、旅や移動といったテーマが前景化している。ウズベキスタンと日本の合作という初めての試みとなった『旅のおわり世界のはじまり』を中心に、異邦で映画を撮ることの経験について詳しくうかがった。

黒沢監督の学生時代

金子遊　黒沢清監督は、神戸の六甲学院高等学校を卒業しました。中学校、高校時代はバレーボール部で活躍したそうですね。高校時代から映画監督の道を志していたこともあって、もともとは日本大学芸術学部を志望していたということですが。

黒沢清　映画監督を志していたというほど、はっきりしたものではありませんでした。高校生くらいのときに受験勉強に挫折した。そのときから映画を見るのは好きだったから、受験勉強をしなくても入れるような大学はないかと考えていた。大学に入っても何らかのかたちで映画にかかわっていられる大学は、当時は日大の芸術学部しかなかったのです。

金子　当時は、いまのように四年制大学で映像表現や映像製作を学ぶことはできなかった。黒沢監督は立教大学に入って、そこで8ミリ映画を撮影するようになったということですね。

黒沢　最初は趣味のようなものでした。そのころのぼくは何を考えていたのかな。日芸は受けたけれど落ちました。一浪して、どこでもいいからというので立教大学に入ったけど、将来のヴィジョンははっきりしたものではなく、ただ8ミリ映画は撮りたいと考えていた。ひとりで撮るのは難しかった。立教大学に入った唯一といってもいい理由は、映画サークルに入り、8ミリ映画を撮ることでしたね。入学してすぐにしたことは、いろんな映画サークルがあるなかで、8ミリ映画を専門に作っているサークルを見つけ、そこに入ることでした。

金子　そのころの立教大学にいて、のちに映画監督になった人としては、周防正行、万田邦敏、塩田明彦監督がいます。下の世代には青山真治監督もいて、錚々たる面々がいたのですね。

黒沢　みんなはたいていぼくよりも年齢が下なので、ぼくが入ったあとにきた人たちです。周防正行と万田邦敏は一学年下で、周防さんは在学中は知り合いじゃなかった。塩田明彦はもう少しあとに同じサークルに入ってきた。ということで、ぼくが入ったときは、それほど映画好きな人間はおらず、ましてやその後映画界で生きていくような人間がいる感じはなかったですね。

金子　ドキュメンタリー作家の森達也監督も同時期に立教大学にいた。

黒沢　同じサークルでしたね。

金子　一九七五年に入学しているから、その頃は蓮實重彦さんという日本を代表する映画評論家で、かつフランス文学者が「映画表現論」という講義をやっていましたね。蓮實さんの『映像の詩学』という最初の評論集が出る前に、黒沢監督はその講義に出ていて熱狂するわけですよね。

黒沢　一般教養の科目のなかに「映画表現論」があったのです。映画はもちろん好きだったから、好きな映画についての講義を受けるだけで単位をもらえるならば都合がいい、という程度の動機で受講しはじめた。それがたまたま蓮實重彦という人の講義だったのです。当時のぼくは彼が誰なのかもわかっていなかった。蓮實さんは映画評論を書いていて、いくつかの雑誌にも掲載されていましたが、まだ映画評論の単行本は出していなかった。だから、まだ蓮實さんのことを映画評論家としてはおそらく誰も認識していなかったと思います。けれども、蓮實さんの講義をふらりと受けはじめたぼくの人生は、そこですべてが変わってしまったのです。

黒沢清監督

金子　どのような講義だったのですか？

黒沢　ぼくも映画に関しては、いろいろとすでに本を読んではいたので、多少警戒していました。最初の講義で『戦艦ポチョムキン』（1925年）を観せて、そこでモンタージュ理論を教えましょう、というようなものだったら、「あ、その程度か」と思っていたかもしれません。けれども、蓮實さんの講義は違っていた。いきなり、当時公開されている映画を観に行ってくれ、というわけです。いろんな映画が上映されているのに、そのなかから「ドン・シーゲル監督の『ドラブル』（1974年）という映画が大傑作なので、これをみなさん観に行くように」というわけです。ぼくはどのみち観に行くつもりの映画だったから、すでに前売券を買っていた。「えっ？　これを観に行けというの？」という衝撃があった。なぜなら『ドラブル』はどちらかというとB級映画に近いものだったから。これがまずは、ぼくにとっての最初の衝撃でした。

金子　蓮實さんの映画評論のスタイルは表層批評ですね。まずは映画の表面で起こっていることだけを見つめろ、という。あとは「テマティスム」もあります。たとえば、小津安二郎の映画の場面にでてくる「食べること」や「階段を上り下りすること」といったものを考察する。当時、映画を作りたがっていた青年たちが、そのような批評に熱狂したということでしょうか。

黒沢　1年留年したので、ぼくは大学に5年間いました。その5年間ずっと蓮實さんの講義を受けつづけた。そこからいろんなことを学びましたね。物語や登場人物のキャラクターとはまったく関係のないところで、映像に何が映っているのかを見るということを散々やった。いまでも不思議なのですが、ふと蓮實さんが「映画というのはこういうものですから」とおっしゃることがある。そのときはぼくも8ミリ映画を撮っていたので、実際に撮ってみると「たしかにそうだ」とおぼろげに実感することを、蓮實さんは実際に撮ってもいないのにズバリと指摘する。それは蓮實さんがたくさんの映画を観ているなかで自然に気がついたことなのか、あるいはフランスあたりの日本語に訳されていない文献にそういった指摘があったのか、ぼくは知りません。たとえば、蓮實さんが「見つめ合っているふたりのまなざしを同時に撮ることはできません」という。これは映画を撮った経験のない人間には、一瞬何のことかわからないようなことです。見つめ合っているふたりのまなざしを同時に撮ることはできない。これは、映画を撮る側の人間にとっては、演出する際に決定的に重要なことです。

誰かと誰かが、喫茶店かどこかで向かい合って話しているとしますね。さあ、どこにカメラを置いて、どう撮ろうか。当たり前のことですが、どちらかの顔を見せようとするともうひとりの顔は見せられない。うしろ姿になってしまう。だから、監督はどちらの顔を撮るかを決めなければならない。どちらも撮っておいて編集する際に決めるという方法もあります。撮るときにこちら側は撮らないと決めることもある。いずれにしても両方同時に撮ることは無理です。こうしたことは、いまも監督たちにとっての大きな決断の1つとして存在する。蓮實さんという評論家は、そのような映画製作する側の機微にまで届くようなまなざしをもっていて、学生時代に彼から映画を学んだことは、ぼくにとって一生を左右する決定的なできごとでした。

黒沢映画における旅

金子　『岸辺の旅』（2014年）や、最新作『旅のおわり世界のはじまり』（2019年）に通底するテーマである「旅」についてお話をお聞きしたいと思います。まず『岸辺の旅』は浅野忠信と深津絵里が演じる夫婦の旅の映画です。これまで黒沢監督はホラーやスリラーを多く撮ってきたこともあり、虚構化された夫婦のドラマになっていますね。3年前に失踪したあと自殺した浅野忠信が演じる薮内優介が、幽霊になって戻ってくるところから映画ははじまる。その夫が失踪していた3年間をどのように過ごしていたのか、妻とともに旅をしながら振りかえっていく。新聞配達を生業とする店や食堂、そして農家にも行く。

黒沢　『岸辺の旅』に関しては、そうした内容の原作小説だったことが大きいです。湯本香樹実さんの同名小説を映画化しようというアイデアはぼくのものではなく、知人のプロデューサーが勧めてくれたのがはじまりでした。いわゆる「旅」をテーマにした映画は、それまで撮ったことがなかった。ぼくの作品のドラマのなかで主人公がある目的でどこかへ行くということはあるけれど、それは旅とは異なります。ある目標や目的にのっとって移動することは、これまでも何度となく撮影している。ですが、旅そのものがドラマのテーマであるということはなかったと思います。しかしながら『岸辺の旅』では、原作小説がそうであったので、はじめて旅の映画に挑むことになりました。

そうはいっても、「この完成された映画が旅についての映画なのか」と問われれば、それはいまだにわかりません。延々と移動する風景が展開されるのがいわゆる旅の映画、つまりロードムービーだと思います。一方で『岸辺の旅』という映画は移動したかと思ったら、すでに次の場所に着いてしまっている。場所が点々と移り変わっていき、移動したその場所で日常とはすこし違う擬似的な日常を営んでいく。もともと住んでいた自宅や土地ではすることができなかった、夫婦がやり残したかわいらしい生活を、あちこちの住まいを借りながらすこしずつ再現していく。場面が切り替わると次の土地にすでに移っているので、移動における途中の経過はあまり描かれない。旅の映画であるのだけれど、これがロードムービーといえるかどうかはあやしいなと思いながら撮っていましたね。

金子　東京の調布から旅というか移動がはじまりますね。この夫婦はバスで移動することが多い。そのなかで印象的なのが、浅野忠信の演じる優介と深津絵里の演じる瑞希が、優介がかつて蒼井優扮する松崎朋子と浮気をしていた件で夫婦喧嘩をする場面です。このシーンがバスのなかで、延々と引きの映像の長いワンショットで撮られている。あのような場面は旅の映画ならではという気もします。

黒沢　確かにあそこは唯一旅の映画らしいシーンだったかもしれません。ぼくも実はそうあろうと努力はしたのです。けれども日本という風土のせいか、移動してもあまり移動したという実感がない。映像的にはさして風景が変わらないのです。砂漠の真ん中をオープンカーが走るような感じとはまるで違い、場所は変わっているのですが、ぼくたちが常日頃身近に見ている何気ないバスの車窓の風景とそう変わらない。風景が次々と移り変わり、ふたりはどこに行こうとしているのかという感じは、これはぼく自身の映画監督としての能力の問題もあるでしょうが、日本を舞台にすると難しいのかもしれない。そういったこともあり、旅をはじめた薮内と瑞希のふたりは東京に舞い戻ってきてしまいます。

金子　ロードムービーを標榜しているのに、旅が中断されて自宅に戻ってくるというのはおもしろいですよね。場所を移動するという旅がサスペンドされて、いわば宙づり状態になってしまう。

黒沢　正直にいいまして、ここは原作と違うところなのです。原作では、ふたりはどんどん旅をしていき、まだ生きていたときの過去の思い出話として浮気話が語られる。つまり浮気話は過去形なのです。ここをどう扱うかは、脚本の段階で迷いました。いっそのこと全部なくす手もあったが、ぼくは夫婦が一瞬危機に陥るこのエピソードをなくしたくないと思った。とはいえ、思い出話にもしたくはなかったので、ぼくが思いついたことですが、ふたりがいったん東京に帰って、そこで瑞希がかつて愛人だった朋子と会うことにした。

プロデューサーは「それでは原作とかなり異なるし、東京に帰ったら旅ものではなくなる」といって抵抗しました。それまで夢か現実かあいまいなところで旅に出ていたわけだけれど「東京にいったん帰ったら、何日間経過していたとか、隠していた現実的なできごとがあからさまになってしまう」ともいいました。ぼくにとっては、それこそが狙いでした。東京に帰ったら数週間経っていて、ひとりは幽霊であるにもかかわらず、あきらかにふたりが本当に旅をしているということを逆に示せると考えた。これは夢ではない。数週間経っていて植物は枯れている。郵便物は郵便受けにたまっている。そういった描写が必要でした。いまではそのような演出にしてよかったと思っています。けれども、旅ものやロードムービーとしては、やってはいけないことをやってしまったなとも思います。

金子　病院で瑞希と朋子の対決シーンがあり、愛人の朋子がそこで圧倒的な勝利をおさめます。普通のロードムービーの快楽とは異なる感じがありますね。一方で、死者と生者が混ざり合いながら物語が進んでいくなかで、滝つぼのシーンやラストの浜辺のシーンなど、水の描写が印象的に使われています。特定の宗教観とは異なる、何かぼくらの根底に流れる死生観のようなものに触れるようなシンボリックな場面ですよね。

黒沢　なぜこういったシーンが生まれたかというと、原作に描かれていたということが大きいです。滝の場面は原作からきています。滝はこれまで撮影したことがなく、楽しくはあったのですが、実際に撮影してみるとかなり大変な作業でした。もっとも大変なのは音です。ドドドドーっと予想以上にすごい音がして、同時録音の音声はまったく使えない。ですから、セリフはあとで別に録音しないといけなかった。つまり滝の前でふたりが静かに会話するというのは、小説としては成立しても現実には成立しえないものなのです。

反対に、ぼくの映画では海が頻繁に出てきます。海が旅ものの代表的なモチーフといってよいのかわかりませんが、ここから逃げ出そうとか、どこかに行こうと主人公たちが道路を進んで行くと、必ずといってよいほど海にぶちあたる。それ以上は進めない。ヨーロッパのような大陸だと、もっと広いどこかに走って行って別の国へ行くというドラマになるでしょう。日本だと半日も走ると必ず海にあたって、そこから先に行けなくなるという現実がある。だから、そういった場で映画は終わる。あるいは、そこから引き返してくるという展開がぼくの映画では多い。『岸辺の旅』でもあちこちに移動しますが、最終的には海にたどりつき、優介はどこか海のかなたに行ってしまい、まだ生きている瑞希はそこから引き返すところで終わる。海というのは向こうの世界への入口でもあるし、生きている人間にとってはここから先には行けない引き返すポイントになっています。

金子　『散歩する侵略者』（2016年）の加瀬鳴海（長澤まさみ）と加瀬真治（松田龍平）夫婦のラストシーンもそうでした。車で逃避行をしていって崖に行きあたる。

　宇宙人が真治に取り憑き、人間の概念を盗んでいたのですが、「愛」という人類ならではの概念だけは、どうにも不定形でなかなか盗むことができない。しかし、最後にはそれを手に入れて宇宙人＝真治は圧倒されてしまう。『散歩する侵略者』では、夫婦はバスではなくて車で逃避行をします。カメラが自在に運転席と助手席のふたりを移動しながら撮っています。

黒沢　そうですね。車の運転席と助手席に人が乗っていて、それを撮影するというのは映画ではよくある場面ですが、これを撮影するのは簡単ではありません。運転席と助手席を車内から撮影しようとすると、後部座席から撮るしかない。すると、人物の後頭部しか撮れない。その後頭部も最近の車のシートは立派で大きいから難しい。あとは斜めからすこしだけ横顔を撮ったり、ルームミラーに映った顔を撮ったりするくらい。近年では小さな車載カメラがあるので、それで撮るという選択肢もなくはないが、ほぼそれくらいです。一所懸命に撮ってもその程度しかできないので、ぼくは車を実際には走らせずに、スタジオのなかに車を入れて、カメラを車の前のもっとも適切な場所に置くことにしました。背景には巨大なスクリーンを何枚か立て、そこに走っている車の景色の映像を映すことで、彼らがさも走っているかのように見せかける。これをスクリーン・プロセスといいます。そうすれば後部座席から撮ったり車載カメラで撮ったりするのと違い、運転席と助手席のふたりの表情や微妙な関係をもっと適切なアングルで撮ることができます。

金子　『岸辺の旅』と『散歩する侵略者』における移動のシーンにおける撮影についてお話をうかがっていると、黒沢映画の「旅」がロードムービーのように、登場人物がそれまで抱えていた困難や葛藤から超出し、癒されていくというような、ロマン主義的なものでないことがわかります。

黒沢　日本列島の風土や風景からは、単純な「旅」がそもそも思いつけないということもあるのですが、その逆もまた考えられます。人間が移動していくのがそんなに難しいのであれば、移動させなければよいじゃないかと。たとえば、家と会社だけで物語が進んでいく映画ですね。そういった映画はたくさんあるでしょう。あるいは、たった1カ所のみで展開していく映画もある。演劇ですと、あちらこちらに移動することができないので、2、3カ所、あるいは1カ所のみで展開されるドラマも多くあり、少ない場面設定でドラマを紡ぐというサンプルがたくさんあります。「だったら映画もそうすればいい」と思うでしょうが、場所がほとんど変わらない映画というのは、例外はありますが、つまらないことが多いといえます。

たまに演劇の中継をテレビでやっていますね。テレビで見ると、俳優は素晴らしい芝居をしていて、内容もとても素晴らしい舞台なのに、まったくもってつまらないことがある。なぜなのか。それは場所が変わらないからです。劇場しか映していないからです。ぼくにも理由はわかりませんが、どのようなドラマが起ころうと、ある1カ所のみを映し出している映画の映像に、観客はおそらく数分くらいしかたえられないでしょう。

金子 場面が転換すること、あるいは情景が展開することが映画という芸術にとって根源的な要素であるわけですね。

黒沢 数分したら、すこしでも場面や設定が変わっている、ということが映画には必要なのだと思いますね。

『旅のおわり世界のはじまり』のロケ撮影

金子 それでは、これまでの旅や移動に関するお話を踏まえて、『旅のおわり世界のはじまり』（2019年）についてお話をうかがいたいと思います。日本とウズベキスタンの合作映画として、前田敦子さんを主演にむかえ、ウズベキスタンで1カ月間オールロケという、このとんでもない企画がどのような経緯でもち上がってきたのかを教えてください。

黒沢 これもぼくが一からやりたいと手を挙げたわけではなく、知り合いのプロデューサーがある日、「ウズベキスタンで、何か映画を撮りませんか」と仕事を依頼してくれたことからはじまります。その時点で、ぼくはウズベキスタンがどのような国なのかもよく知らなかった。ウズベキスタンと日本を行き来すると予算がかかるので、1回行ったら行ったきりで撮影を終えるのがよく、「それを前提に何か物語を考えてもらいたい」といわれました。わりとすぐに思いついたアイデアは、テレビレポーターを主人公にすることでした。ずばり「世界の果てまでイッテQ！」という番組のようなストーリーにすることでした。現地に入った数人の日本人テレビクルーが、ドタバタして番組を作る様子がドラマになるのではないかと考えた。バラエティ番組の撮影スタッフの物語ということで、まずはストーリーを考えはじめた。「そんないい加減な設定では困る」といわれたらどうしようと心配もありましたが、幸いプロデューサーは理解ある人で、助かりました。

『旅のおわり世界のはじまり』 © 2019「旅のおわり世界のはじまり」製作委員会／UZBEKKINO

金子　前田敦子さん扮するテレビレポーターの女性が、ウズベキスタンの湖に棲息するという珍しい魚を探すためにバラエティ番組に出演します。一方で、彼女は本当は歌手としてステージに立ちたいという葛藤を抱えている。東京に消防士をしている彼氏がいるらしく、海外にきてもスマホでやり取りばかりしている。そうしたなかで、低予算番組に特有の側面かもしれませんが、ディレクターや撮影陣には冷徹にあつかわれ、何とかがんばって撮影を進めていく。このプロットやシナリオは、前田敦子さんに当て書きしたと想像してしまうほど、ぴったりな内容に思われました。

黒沢　最初から前田さんありきではありませんでした。ウズベキスタン側の要求として、首都タシケントにあるナヴォイ劇場をどこかの場面で出してほしいというのが、1つの制約としてあった。そこで思いついたのが、じつは歌手を志望していた主人公のテレビレポーターがふとナヴォイ劇場に立ち寄り、スポットライトを浴びて歌う幻影を見るシーンがよいかなと思ったのです。これだとナヴォイ劇場をうまく使えるし、単なるレポーターではない主人公の人間としての複雑な面も描ける。そのときに、前田敦子さんがよいのではないかと思いついた。ですから自分のなかでは、ナヴォイ劇場をどのように扱うかという制約をヒントに、前田さんだったら歌ってくれるかもしれないと繋がったということですね。

ぼくはこれまでも何度か前田さんと仕事をしています。彼女に対して抱く印象は「AKB48」のセンターとしての前田敦子というよりは、女優としての前田敦子でした。何年か前に『Seventh Code』(2013年)という、彼女の新曲をプロモーションするための映画を撮ったのですが、実際に歌ってもらったらやはりよい。女優と思って歌ってもらったのですが、「やはりこの人は歌手なのだ」とあらためて認識しました。そのときから女優として考えてはいたが、とはいえ歌ってもらうと俄然魅力が増してくるという考えもあり、それで『旅のおわり世界のはじまり』でも「前田さんしかいない」と思ったのでしょう。

金子　ウズベキスタンで撮影とのことで、シナリオ・ハンティングやロケーション・ハンティングをなさったと思います。サマルカンド、アイダル湖、タシケント、タジキスタンとの国境に近いザーミンというロケ地は、どのようにして決まったのですか。

黒沢　ぼくが実際にウズベキスタンへ行く前に、製作スタッフが現地の人にいろいろと教えてもらいながら選んでいきました。ぼくが脚本をある程度仕上げていくのに合わせて、「こんな場所がいいな」「あんな場所がいいな」と思いつきをいうのですが、それに合わせてスタッフが現地に1カ月くらい前に入って動いてくれた。参考のためにビデオ映像を見たり、さまざまな情報を得たりして考えていき、最終的にぼくを含めたメインスタッフが現地に2週間ほど行って、ロケハンするという流れでした。

『旅のおわり世界のはじまり』 © 2019「旅のおわり世界のはじまり」製作委員会／UZBEKKINO

けれど、この映画に協力してくれたウズベキスタンの観光庁が勧めてくれる場所は、必ずしも適していないだろうと覚悟していた(笑)。彼らは映画のプロではありませんからね。「サマルカンドでよい場所はないですか」と尋ねると、予想どおり観光地として美しい場所を紹介してくれます。しかし、ぼくにとってはその裏側、つまり薄汚いところや人があまり寄りつかないところ、あるいはすこし危険なところがロケ地として都合がよい。そのようにあらためて提案すると、現地の担当者は「そんなところはありません」と顔をしかめる。それはそうでしょう。でも、そこからスタートして、根掘り葉掘り「観光地ではないところを見つけてほしい」と粘る。

そうすると、やはり町の裏側の顔が出てくる。これはウズベキスタンにかかわらず、東京近郊で探すときもそのようにしています。

あらかじめ断っておきますが、ウズベキスタンは汚く危険な国ではまったくありません。でも、それでは映画にならないので、本当はそれほど危険でもなく汚くもないのだけれど、この場所ならばそのように見えなくもないといったところを頑張って探しだした。主演の前田敦子さんが街中をうろうろして、慣れない風景や人びとに対してビクビクしながら足を踏み込んでいき、そのような状況で走って逃げるという設定だったので、風光明媚ではない雰囲気が必要でした。

金子　タシケントの市場で、前田敦子がディレクターから小さなビデオカメラを渡されて、「好きに撮ってみろ」といわれますね。あのシークエンスでは、前半部分はドキュメンタリーなのかと錯覚してしまうような生き生きした映像になっていて、後半に、彼女が市場の裏側に入って警察官に「撮ってはいけないものを撮っただろう」といわれる場面から、ガラッと様子が変わります。彼女がさまよう裏道では黒沢映画的な、不穏な空気をかもし出す照明も使われていました。

黒沢　あの場面では、実際におかしな照明があったのです。裏道の照明の灯りがどれも勝手にチグハグなものばかりをつけていて、古いものもあれば新しいものもあり、LEDがあれば裸電球もあるような状態だったので、あのような映像になりました。統一感のない照明をしていると、あのような色合いになる。そういったことも「たまたま」なのです。決して撮りたいと狙ったわけではないのですが、「こういったところもあったのか」と出遭ってしまったものだから、それを撮らざるをえない。これは映画作りにおける必然のように思います。ぼくらが作っている映画は、ハリウッド映画のように、すべて計画され、計算し尽くされたものとは異なります。背景が巨大スタジオのセットで作られたり、すべて精密なCGで彩られていたり、といった映画ではない。ぼくたちの映画は、現実の街や実際の場所をどのようにして撮るのかというところで勝負している。たまたまそこにあったものだろうと、それをできるだけうまく活かしていく。ぼくはそのことをいつも考えています。

金子　ゴダールではないですが、この作品は「撮影する行為そのものを撮影していく」映画ともいえます。テレビ番組を撮影するクルーを演じる俳優たちが、実際の映画の撮影隊に取り巻かれているという二重の状況がある。しかも、その撮影隊のなかには現地のウズベキスタン人も混ざっている。そういった意味でも、大変な現場だったのではないでしょうか。

黒沢　現場レベルの話でいえば、予想以上にうまくいったと思います。映画を製作する要素はどの国でも一緒なのだ、と実感しましたね。言葉がうまく通じないということは基本としてありましたが、その不安は通訳の方々の頑張りによって解消されました。ウズベク語を話せる日本人は数えられるほどしかいなかったので、当初ははたして日本語を話せるウズベキスタン人などいるのか、と疑っていました。ところが多くの日本語話者がいて、あっという間に十数人が集まりました。彼らがあいだに入ってくれたので、撮影はじつにスムーズに進みました。映画を観た方はおわかりのように、テムル役のウズベキスタン人俳優であるアディズ・ラジャボフさんは、日本語を話せないどころか聞いたことすらなかった人でした。けれども、なんとひと月くらいで日本語のセリフを完璧に暗記し、あれだけカメラの前でしゃべってくれたのです。

金子　テムル役のアディズ・ラジャボフが、シベリアで抑留されていた日本人がタシケントの劇場建設に携わった、という長いセリフを感動的に話すシーンのことですね。もともと日本語が話せない俳優がやっていたというのには驚きます。

『旅のおわり世界のはじまり』の演出

金子　この映画の前半で、前田敦子が「これでもかこれでもか」というくらいに番組製作のためにディレクターにしごかれます。一見すると、出演者へのイジメのようにも見える場面は、やはり必要なシーンだったのでしょうね。

黒沢　イジメられるというよりも「大変な仕事を義務感をもってやっている」といったほうが適切かもしれません。その仕事を終えてホテルに帰り、晩御飯の食料品を外に買いにでても、またそこで大変な目にあう。唯一の心の安らぎは、東京にいる彼氏とのＬＩＮＥでのつながり。ところが、この映画のなかでは、その東京こそが大変な事態に陥っている。ウズベキスタンであろうと東京であろうと、等しく大変なときは大変な目にあう。そうした世界のなかで、みんなは日々日常を営んでいるということです。そうしたことが、物語が進むにつれて、ようやく彼女にも理解できてくるという構成になっています。

金子　染谷将太が演じるテレビディレクターの行動がリアルでした。あのようなディレクターは、テレビ業界にはたくさんいます。ヤラセだろうが演出だろうが、とにかく番組を「成立させる」ことだけを考えている人です。

黒沢　ぼくとしては、特に人間性のあくどいディレクター像をかたち作ったつもりはありません。あれは、あるひとりの人間の思いがそうさせているというより、番組がそれを要求していて、ディレクターはそれにあまりに忠実だということに過ぎないのでしょう。良くも悪くも、典型的なディレクター像になったとは思いますが。

金子　染谷さんはインタビューのなかで、役作りのために、黒沢監督の現場での身振りや雰囲気を模倣したといっていますね（笑）。

黒沢　それは心外ですね（笑）。ぼく自身が現場でどのように振る舞っているのかは、客観的にはわかりません。ひょっとしてぼくにもそういった意識があるのかもしれない。いま1本の映画を撮っている。そのために、いま自分は監督をしている。この映画をよりよいものとして完成させるために自分はどうあるべきなのか。こういったことを前提に、撮影現場では振る舞っているつもりです。だから、自分の単なるわがままや趣味だけで無茶なことを要求するつもりはない。「ぼくがあなたにやらせているのではない、映画があなたに要求しているのです」ということです。これでは都合がよすぎる解釈でしょうか（笑）。

金子　あくまでも主語は「私が」ではなく、「映画が」なのですね（笑）。インターネットに広告を奪われている影響もあり、既存のテレビ業界の予算はどんどん削られています。しかし、変わらず視聴率は求められつづける現状のなかで、撮影現場が過酷になる状態が、ある種の日常になっているのかもしれません。ところで、この映画はロードムービーでありながら、同時にミュージカル映画でもあります。これは黒沢監督のフィルモグラフィーのなかでも特異な作品なのではないでしょうか。

黒沢　ぼくのなかでは『旅のおわり世界のはじまり』において2回、前田敦子さんが歌うシーンは、厳密な意味では「ミュージカル」だと認識していません。1つは、夢のなかでの場面ですね。ここで前田さんは劇場のなかでオーケストラの演奏をバックに歌います。もう1つのシーンは、オーケストラはどこにもいないにもかかわらず、オフスクリーンで曲が流れてくる。ふつう映画を観ていて音楽が流れてきたら、それはサウンドトラックですよね。観客には聞こえているけれども、劇中の登場人物には聞こえているはずがない音楽。そうだと思っていたら、それに合わせて劇中の人物が歌いはじめる。そこで観客は「なんだ、劇中の人にも聴こえているのか」とわかる。その一体感がなんとも好きなのです。なぜ好きなのかはうまく説明できませんが、このことを自分なりに無理やり一言で説明すると「唐突な劇場化」ということなのです。

これは演劇では当たり前のことですね。劇場に音楽が流れれば、観客にも舞台俳優にも聴こえる。だから、それに合わせて歌いはじめるのは何ら不思議ではない。向こう側とこちら側は常に一体になっている。しかし、映画では「そんなことが起こるはずはない」と観客は高をくくっています。でも「ときにはおこりますよ、向こう側と一体化しますよ」ということが、音楽の扱い方によっては起こりうる。歌うはずがないと思っていた出演者が、徐々に身体を揺らしはじめ、いつしか歌いはじめる。衝撃とまではいいませんが、ある種の動揺や感動を味わってもらいたかったのです。

これをミュージカルと呼んでよいのかどうか、ぼくにはわからない。ぼくのなかでのミュージカルのルールだと、まず踊りはじめるのです。場合によっては、音楽に合わせて映像が編集される。こうなるとハリウッドのミュージカルや音楽のプロモーションビデオに近づいていく。それはそれで素晴らしい見世物だとは思うが、ぼくが思う演劇的な一体感とはすこし異なる。そこでは、何か珍しいダンスやショーを見る体験を観客はする。そうなると、それなりにダンスがうまく、かつ豪華でなければ観客は満足してくれない。『旅のおわり世界のはじまり』では、そこまではやっていません。身体をすこし揺らしたりはするが、ダンスまではしない。だから、ミュージカルにはなっていない。ミュージカルになる前の段階の「何か」をやっているということです。

金子　映画のラストで、エディット・ピアフの「愛の讃歌」が歌われますが、あそこが同時録音で撮影されているとは思いもよりませんでした。ワンカットの長回しでドリー（台車）で移動したあと、最後はカメラがクレーンで上昇します。山上でどのように撮影をしたのかをお聞きしたいのですが。

黒沢　あの場面は、かなり無理をいって撮影させてもらいました。撮影した場所は、ウズベキスタン人でも行ったことがないような山奥で、道路からもかなりの急斜面を20分ほど上がったところです。そこに小型のクレーンや移動車などを運び込みました。前田敦子さんには「あの場所で実際に歌ってもらいたい」と思っていた。通常、音楽に合わせて歌うシーンは、あらかじめスタジオで歌を録音しておき、それをその場で流しながら、その歌をさも歌っているかのように口パクをして演技してもらいながら撮ります。だけど、ぼくはそれをやるのが嫌だった。「愛の讃歌」という曲は、伴奏がつくとはいえ、どうしても歌が先行する曲なので、伴奏に合わせて歌うことができない。ですから、前田さんの耳にイヤホンを仕込み、カメラの後ろに控えた音楽担当の林祐介さんが弾くキーボードの音を、そのイヤホンに無線で流した。歌に合わせて林さんがキーボードを弾き、その演奏を聴きながら前田さんが歌うかたちで撮影を進めた。最後に、前田さんが自分のペースで歌った歌にオーケストラを合わせていった。これがまた大変な作業でした。前田さんの歌を聴きながらテンポを合わせなくてはならないので、オーケストラの指揮者も苦労したと思います。

このように手の込んだ方法で撮影したので、前田敦子さんには最初から最後まで切れ目なく一曲歌い通してもらいました。これが大変でした。東京にいるときにかなり練習をしたようですが、実際の撮影場所は高地なので酸素が薄かった。「愛の讃歌」は最後に山場があり、東京にいるときと同じペースで歌うと体力がつづかない。どういう配分で歌えば最後のところで盛り上げて歌えるのか。ここには苦労して、何度も何度もやってもらいました。前田さんもかなり追い込まれていましたね。ぼくにはやれることがないので「頑張って」と祈っていた（笑）。最後まで見事に歌い切ることがテーマだったので、途中で何度も「もうダメだ」と思ったけれど、何とか撮り終えることができましたね。

金子　俳優にとって大変困難なことを、「映画」が要求するままに監督は準備し、要求するということですね。

黒沢　この場面は大変な撮影になるだろうと、スタッフも前々から認識していたし、前田さんも覚悟して臨んでくださったので、乗り越えられたのだと思います。実際に大変でしたが、最終的にはみなさんが満足できるものに仕上がったと思います。観客の方にも前田さんの頑張りはある程度伝わるだろうと信じています。

金子　一本の旅の映画がどのように作られていくのか、そのバックグランドがよくわかりました。

質疑応答

学生1　本日はお話をありがとうございました。世の中にはさまざまなジャンルの数多くの芸術作品があるなかで、自分の作品がどうしても既存の作品と似てしまうことがあると思います。そうしたなかで、自分なりのオリジナリティを保つためのアイデアや考え方はありますでしょうか。

黒沢　ぼくの若い頃はまったく逆の考え方をしてましたね。「これはすごいな」と思う過去の名作、あるいは大好きな作品をできるだけ真似るようにしていた。それとそっくりであったならどれほどよいか、と。これがぼくの映画人生のスタートです。最初から自分のオリジナリティなんてものは、まったく考えませんでしたね。あの素晴らしい大傑作と同じものを作るにはどのようにしたらよいのかと考え、自分なりに作品を作るが、それが全然できない。何度やってもできない。その「できない」を何十年もつづけて、いまにいたっています。

なぜできないのか？　いつまで経っても実現できないので辞めてしまうという人生もあります。ぼくは幸いなことに、自分が憧れる素晴らしい作品を真似しながら撮りつづけることができました。ぼくに褒められるところがあるとすれば、それくらいでしょうか。撮りつづけたものはいつしかその人の個性としかいいようのないものになっていく。自分からするとその個性は、ただ素晴らしい作品の真似に失敗しつづけた結果の数々にすぎない。「できない」ということこそが、おそらく個性なのです。真似から入るしか入りようがない。真似したくても真似られないまま作品を作りつづけると、いつしか評論家の方々が個性を指摘してくれます。ぼくからすればそれは癖のようなものです。それは周りが見つけてくれるもので、自分では決してわからないものです。

学生2　先ほどミュージカルや演劇についてお話しされていたのですが、観ている側と映画の交わる瞬間というのは、『旅のおわり世界のはじまり』を観ていてすごく感じました。それに関連して、今回の映画において「窓」の扱い方が気になったのですが、お考えを聞かせていただけないでしょうか。

黒沢　この作品に限らず、ぼくの映画にはたびたび窓や扉が出てきます。どなたも想像がつくような当たり前のことですが、窓というのは室内から外につながる場所です。室内で物語が進行していきつつも、「いや、外もありますよ」というように、パンッと窓が開いて風が入ってくる。あるいは、スーッとカメラが窓のほうに向くと外に何かが映っている。「外はこうなっていたのだ」ということがわかるだけで、映画というのはなぜか「次に何かが起きるだろう」という期待を抱かせる。室内でなにか停滞しているようなときも、窓から風が吹き込んできただけで、それまでの退屈が一気に吹き飛ぶこともある。窓はそういった外とのつながりを直接あらわす、映画にとってすごく興味深い素材なのです。

これはすごく映画的な現象です。演劇では起こらないと思います。窓から風を入れるという表現はできたとしても、「外という現実」を実感させるまでにはいたらないでしょう。小説においても書くことはできるが、映画ほどの効果はない。アニメーションでこのような表現は可能なのかしら。宮崎駿さんも風をものすごく熱心に表現しています。たしかにパッと窓を開けて、ワァーと風が入ってきてカーテンが揺れるという表現をアニメでも見ますが、実写ほどの効果はないのではないか。実写映画においては窓の先にはあきらかに外がある。窓の外に突然に何かが現れるというのは、映画がもっとも得意とする表現の1つだと思っています。

一般聴講者　映画では、ウズベキスタンの裏町を前田さんがビクビクして歩くシーンが印象的でした。その後で前田さんが警察に保護されて、係官がしゃべる言葉がある。そこに黒沢監督の思いがこめられているように感じました。係官は前田さんに対して「あなたたちはわれわれのことを知らないのではないか。だから怖がっているのですよ」という素晴らしいセリフがありました。

黒沢　いかにも係官の言葉は、この作品の大きなテーマですね。この映画は「ウズベキスタンはこれほど素晴らしい国ですよ」「こんなに美しいところがあるのですよ」と紹介する映画ではありません。そういうことを期待している方は「何だ、この映画は」と思うかもしれません。しかしながら、1つ撮る前から決めていたし、絶対にそうであろうと思っていたのは、「ウズベキスタンはこんなに美しい国ですよ」という美辞麗句の映画にはしないということでした。それは情報として必要かもしれないけれど、現代ではインターネットやテレビなどのメディアから、いくらでも手に入るということです。映画に託され、必要とされているのは情報ではなく、「彼らもぼくらと同じですよ」ということを示すことなのです。ウズベキスタンにもこんなに複雑な側面があるとか、ウズベキスタン人も日本人と同じようにお金にシビアだとか、やはり貧富の差は歴然とあるといった、ぼくらと同じような問題を抱えていることを見せるのが映画の使命だと考えます。そしてもちろん、どこの国の人たちも夢や希望をもっていて、それを実現させるための自由を欲しています。フランスだって、アメリカだって、もちろんウズベキスタンだって一緒です。ただ、人の一生は個人の力だけではそううまくは進んでいかない。日本がさまざまな問題を抱えているように、他の国々の人々も等しく同じような課題にぶち当たっている。こうしたことはテレビではあまり取り上げられない。「彼らもまた同じなのだ」ということを知らせるのが、映画という表現の1つの大きな存在意義なのではないでしょうか。

映画『旅のおわり 世界のはじまり』を観て
気になったヤギ…!! そこで、ウズベキスタンとヤギについて
調べることに!! すると、あるものにたどり着きました!!

ブズカシ

説明しよう!! ブズカシとはペルシャ語で「ヤギを引きずる」
という意味で(ヤギ:buz + 引きずる:kashi)
伝統的騎馬ゲームなのであります。

どうやらアフガニスタンの国技らしいですよ…!!
落馬あり!! 賞金あり!!

ルールは、頭を切り落とされた1頭のヤギをボールにして、
それを20〜30人の男たちが奪い合い、ゴール地点まで
運んだ人が勝ち!! というもの。(ひえええええ…!!!)
ナウルズという、中央アジア諸国やイランなど、かつて
ゾロアスター教を信仰していた国々で今も残る春の訪れを祝う
お祭りで見れるんだそう!! なかなか気になるね!!

④アメリカ社会を観察する――想田和弘との対話［アメリカ］

世界を代表するドキュメンタリー映画作家フレデリック・ワイズマンに私淑し、ダイレクト・シネマの手法を一歩先に進めて「観察映画」を編みだした想田和弘（1970年生まれ）監督。これまで『選挙』（2007年）では川崎市の市議会議員選挙を題材に、『精神』（2008年）では岡山県の精神科クリニックにカメラをむけるなど、日本社会を観察してきた。ところが『ザ・ビッグハウス』（2018年）では、ミシガン大学のアメリカンフットボールのスタジアムを複数人のカメラで撮影し、ついにアメリカ社会を対象とすることになった。長年にわたってニューヨークに在住している作家は、どうしてワイズマンと同じようにアメリカを観察することになったのか。

ダイレクト・シネマとの出会い

金子遊　はじめてフレデリック・ワイズマンの作品を見たのは、2002年の『DV（ドメスティック・バイオレンス）』（2001年）とのことですね。ワイズマン作品との出会いと、そのとき受けた衝撃を教えてください。

想田和弘　観察映画を撮りはじめる前、NHKのドキュメンタリーを中心にテレビ番組の製作をしていました。そのなかで、テレビのつくり方に対して、だんだんと疑問や違和感が深まっていった。その1つは、ドキュメンタリーといいながら事前に台本を書き、台本どおりに撮っていくという予定調和的な方法。もう1つは、ナレーション、テロップ、音楽を総動員して、視聴者に対して懇切丁寧に説明する方法。台本なしで番組をつくろうと提案したこともありますが、プロデューサーに鼻で笑われ「お前は家を設計図なしでつくるのか」と怒られました。でも、ドキュメンタリーは家ではないですからね。

『DV』を映画館で観たときには、自分がやってみたいと思っていた方法ですでに撮っている人がいて驚きました。しかも、ぼくが知らなかっただけで、60年代からずっとやっていた（笑）。ワイズマンのすべての作品を観たいと思いました。ニューヨークの公立図書館にワイズマンの作品が16ミリフィルムやVHSで所蔵されていたので、毎日通って映像ブースでだいたいの作品は観ました。ワイズマンの映画には生な感じがあり、必要な情報が作品に盛りこまれているのに、観る者が能動的にその情報を自分から見つけにいかなくてはならない感覚がある。

『DV』であれば、最初に警察官がどこかの住宅をおとずれて住人と会話をする場面を延々と見せます。それを注意深く聞いていると、だんだんとその人がドメスティック・バイオレンスの被害者らしいとわかってくる。でも確定的なことはわからないままなのですね。映像が複雑な現実を複雑なまま提示している。NHKなどの番組であったら、ナレーションなどで全部説明して、そこでおきていることを単純化してしまうでしょう。それとは対極にある手法です。

あと、映画の構成がすばらしい。『DV』はまずは住宅という「事件の現場」ではじまるわけですけど、中盤はDVシェルターで撮影していて、被害者が相談員に自分の体験を話したり、セラピー目的のセッションがあったり、ドメスティック・バイオレンスの被害者の身に何がおきて、どんな心理状況になり、加害者側がどのような手口をつかうのかがだんだん見えてくる。そこに「支配」と「コントロール」というキーワードが登場し、それがDVの根源的な性質なのだということが理解できる。それをたっぷりと見せたあとに、最後にもう一度シェルターを離れて、警察官がおとずれるＤＶの「事件の現場」を見せていくのだけれど、観客はそれまで中盤のパートを観ているから、現場でいったい何がおきているのか、序盤で観たときよりも格段に深く理解できるようになっているのですね。つまり「現場」と「現場」で「シェルター」をサンドイッチにする構成を採用することによって、ナレーションなどで説明もせずに、ＤＶについて理解を深めることができる仕掛けになっている。「この映画はすごい！」と衝撃を受けましたね。

金子　アメリカ・カナダの60年代以降のダイレクト・シネマは、日本ではあまり見られていません。ご著書ではロバート・デューが監督し、リチャード・リーコックやアルバート・メイスルズが撮影した『大統領予備選挙』（１９６０年）が、想田監督の『選挙』（２００７年）に影響を与えたと書かれていました。ライオネル・ロゴーシン、リーコック、デュー、メイスルズ兄弟、Ｄ・Ａ・ペネベイカーなど、ほかに想田さんがお薦めするダイレクト・シネマ作品があったら教えていただけないでしょうか。

想田　『大統領予備選挙』は世界で最初のダイレクト・シネマといわれています。このムーブメントがなぜはじまったかというと、軽量の16ミリフィルムのカメラで同時録音が可能になったという技術的な革新があったからですよね。『大統領予備選挙』は、ウィスコンシン州

想田和弘監督

でジョン・F・ケネディとヒューバート・H・ハンフリーが立候補して、そのふたりが民主党の予備選挙を戦う様子を追った作品です。まだダイレクト・シネマのスタイルが確立していなくて、若干のナレーションは入りますが、ケネディの選挙運動の舞台裏を撮っているすごい映画です。アルバート・メイスルズが撮った有名なショットがあります。メイスルズのカメラが屋外から撮影をはじめて、廊下を歩くケネディを追いかけていき、ケネディと一緒にカメラが演説会場の壇上まで上がっていってしまう。いまでは当たり前のようなカメラワークですが、当時はものすごく斬新だったみたい。ぼくは『選挙』を撮る前にはこの作品を観ていなかったのですが、存在はもちろん知っていました。

メイスルズ兄弟であれば、やはり真骨頂は『セールスマン』（1969年）かな。聖書を売り歩くセールスマンを撮っているのだけれど、現場でおきている複雑な現実が生の感じで伝わってくる傑作です。最近の作品でいうと、ルーシァン・キャステーヌ゠テイラーとヴェレナ・パラヴェルが共同で撮った『リヴァイアサン』（2012年）なんかも、彼らはそのようにはいわないと思うけれど、ダイレクト・シネマの傑作です。巨大な底引き網漁船が大海のなかで漁をする姿を、GoProを駆使して、海鳥や魚の視点で撮っている。新しいタイプのダイレクト・シネマですね。

観察映画の誕生

金子　1960年頃に起源を発する北米のダイレクト・シネマと、フランスのシネマ・ヴェリテの背景には技術革新があったということなのですが、つくり手としてダイレクト・シネマの技術面や撮影技法をどのように見ていますか。

想田　それは、やはりカメラの軽量化と機動性抜きには起きえなかったスタイルでしょう。そうはいっても現在の視点から見ると、当時の16ミリフィルムのカメラと録音機のナグラはものすごく重いですけどね（笑）。それから監督、カメラパーソン、録音の３人はどうしても必要でした。400フィートで10分しか撮影できないので、フィルムを装塡してマガジンを取り替える撮影助手も必要だったでしょう。フレデリック・ワイズマンの場合は監督が録音も兼ねているので、基本的には３人のクルーで動いてきた。

でも、1995年にソニーのDCR-VX1000というDVテープのカメラが発売されて、いわゆるデジタル映像の革命がおきますよね。あれ以来、超軽量のデジタルビデオカメラで撮影して、デジタルで編集して、デジタルで上映するという形が発達して現在にいたるわけです。この革命によって、16ミリフィルムとは比べものにならない機動性をカメラが獲得した。『リヴァイアサン』でつかわれたGoProにいたっては、マッチ箱くらいの小さなカメラで映画が撮れるようになり、防水仕様でどんな場所にでも取りつけられるようになった。ですから、ダイレクト・シネマをつくるための技術的環境は、飛躍的に容易になったといえます。また長まわしのショットを撮っても、そこに経済的にも技術的にも限界がなくなった。かつてはワンショットは10分が限界だったので、フィルムの終わりを気にしながら撮影していたのが、いまでは３時間でも６時間でも撮りつづけることができる。コストの面でも、16ミリフィルムであれば1時間回すのに10万〜20万円かかるところが、いまではただ同然で回せてしまう。

金子　フィルム時代から撮りつづけているワイズマンたちのダイレクト・シネマから、どのようにして想田さんが提唱なさっている観察映画が生まれたのか。お話しいただけないでしょうか。

想田　ぼくにとってはワイズマンのダイレクト・シネマはお手本であり、自分の出発点です。ぼくが図書館で「ひとりワイズマン映画祭」をやったときには、撮影の仕方から編集の方法までじっくり研究しました。『福祉』(1975年)も衝撃を受けたうちの1本ですが、VHSを何度も巻き戻しながら、各シーンが何分あって何ショットで構成されているかを数えて分析しました。28分くらいある長いシーンがあって、ぼくは飽きずに見るわけですが、「これくらい人間の集中力ってもつんだ」とか、いろいろな発見がある。そうすると、自分で映画をつくるときにも怖がらずに長いショットやシーンを組み入れることができる。そのほかにも、カメラがどれくらい人物に寄って、切り返しショットをどのように撮っているのか、カメラワークもそうとう学びましたね。そうやって、ダイレクト・シネマの文法や、呼吸を身につけていった。ちまたにはワイズマン作品の表層だけ見て「ダラダラ回しているだけではないか」と批判する人もいますが、じつは緻密な計算を抜きにしてダイレクト・シネマ作品を撮影し、編集することは不可能なのです。

ぼくにとってはワイズマンの映画を研究する時間は重要でした。本当によいお手本でした。でも『選挙』を撮ったときに、自分の作品は「ダイレクト・シネマ」から逸脱していくことを予感していたので、別の名前をつけたいと思った。それで「観察」というキーワードをあげたわけです。もともとダイレクト・シネマのことを英語では「オブザベーショナル・シネマ」というので、その訳語が「観察映画」であるわけですが、ぼくはこの「観察」という言葉を自分なりに再定義したいと思った。つまり「傍観者になる」という意味ではなく、「よく観る、よく聴く」という意味での「観察」です。それで「観察映画」という言葉をつかうことを決めました。実際、ぼくの観察映画では撮影者の存在を隠さないなどという点で、ワイズマンらの伝統的なダイレクト・シネマとはずいぶん距離が生じてきたように思います。

『選挙』『ザ・ビッグハウス』の方法

金子　2005年の10月にあった川崎市市議会議員の補欠選挙のときに、学生時代からの友人であった山内和彦さんが自民党から選挙にでることになった。そのときにダイレクト・シネマの手法で映画を撮られたわけですが、その時点で「観察映画」の手法はどの程度確立されていたのでしょうか。

想田　まだまだ試行錯誤でしたよ。特に『選挙』の編集作業では、まだノウハウが築けていなくて、最初テレビ番組的につないでしまった。全く気に入らなかったので、編集を一からやり直しました。でも『精神』以降は観察映画の文法が自分のなかに身体化されてきたので、あまり意識することなく撮影したり編集したりしています。自分のなかで「観察映画にするためにはこうしなくてはいけない」と思考することは、あまりないです。

ただ、ときどき、軌道修正するために思いだすことはある。ドキュメンタリーを撮っていると、状況をコントロールしたいという雑念が生じるときがあるのです。その場を演出して誘導しようとか、この人にこんな質問をして何か引きだそうとか。そのようなときに「それはダメだ。それをやってしまうと、自分のイメージに現実を当てはめることになってしまう」と原点に帰ろうとする。そのときに便利なのが、「観察映画の十戒」と呼んでいる10カ条ですね。自分が迷ったときに、観察映画の精神と方法論にもどってくるための覚書なのです。とはいえ、これはあくまでもぼくが自分の身体でつかんだ方法論なので、他人が真似をするのは簡単じゃない。『ザ・ビッグハウス』（2018年）をミシガン大学の学生たちと撮ったときも、観察映画を人に教えるのは難しかった。

金子　『ザ・ビッグハウス』の企画は、日本のドキュメンタリー映画の研究者であるミシガン大学の教授マーク・ノーネスさんが、想田さんを大学の授業に招くことでスタートしたのですよね。

想田　はい。映画のクレジットもマークさんとテリー・サリスさんがぼくと共同監督・共同製作になっています。ミシガン大学には8カ月間、客員教授として滞在し、ダイレクト・シネマの実践と理論と鑑賞を組み合わせた授業を、マークさんとテリーさんとぼくの3人で教えました。学生たちと一緒にワイズマンとかペネベイカーなどの名作、ぼくの作品や『リヴァイアサン』などを観て議論する一方で、ミシガン大学が所有するアメリカ最大のアメフト競技場「ミシガン・スタジアム」（愛称：ビッグハウス）についてのダイレクト・シネマをみんなでつくる。ミシガン大学のフットボールの試合があれば、学生たちと一緒に撮影にいき、そのラッシュを観てたがいに批評する。そしてまた撮影にでる。ということを4、5回くり返して映画をつくっていきました。最終的にはぼくが3人の学生たちをアシスタントにして、みんなが撮った場面を一本に編集したのだけれど、「ダイレクト・シネマの編集はこうなのだ」という極意を口で伝えるのは本当に難しかった。具体的にぼくが学生の編集した場面に手を入れると、そのシーンがおもしろくなるので学生たちは納得するわけですが、それを応用して自分で実践できるようになるかというと、そう簡単にはいかない。

『ザ・ビッグハウス』

金子　撮影は手分けしていったのですか。

想田　ぼくや先生たちや学生を含めて、17人で撮影していきました。プロ用のビデオカメラの基礎的なつかい方を教えたあとで、「観察映画の十戒」について講義しました。予定調和にならないよう、よく見てよく聞いて、その場で生じていることを映像に翻訳することが大事なのだ、ということを口を酸っぱくしていって共有しました。観察映画では事前のリサーチを禁じているのですが、今回は一回だけみんなでミシガン大学のフットボール・チームの試合を見学にいきました。それで、学生それぞれから「自分はチア・リーダーを撮りたい」「厨房を撮りたい」「警備員や清掃員を撮りたい」といった要望がでてきたので、授業のなかでたがいにかぶらないように調整して、学生たちは撮影しにいった。普通のドキュメンタリー制作の授業であれば、事前のリサーチや取材をして、テーマや切り口を決めてから撮影にいくと思う。だけど、ぼくたちのゼミでは「どんな話になるかは撮ってみるまでわからない」ということを徹底しました。そして、編集をするなかで何がおもしろいのか、自分たちの視点や主題を見つけていく。この点は観察映画の核であり、どうしても譲れない点だと思います。

観察映画の新展開

金子　観察映画第8弾にして、ほかの撮影者たちと共同作業で作品を撮るというのは、かなりの新展開なのではないかと思いました。

想田　学生たちとの共同作業はおもしろかったですね。セミプロレベルの撮影技術をもっている学生もいれば、生まれてはじめてビデオカメラを触るような学生もいた。入門者にとって、はじめて会った人にビデオカメラをむけることは怖いことらしく、みんな引きの画ばかり撮ってくるのですね。だから、とにかくもっと撮影対象に寄れ、といっていました。それから、経験のない人には長まわしも難しいのです。これから状況がおもしろくなりそうだ、というときに撮影をやめてしまったりする。あるいは、カメラをまわしだすタイミングが遅い。ミーティングや会合があるときに、みんなそれがはじまってから撮影をはじめるのですが、それでは遅いのです。会合がはじまる気配があったら、その少し前からもう録画ボタンを押さなくてはいけない。ダイレクト・シネマの場合、ナレーションを付けないわけだから、最初の「じゃあ、はじめましょう」と誰かがいう場面を撮っておかないと、あとで編集で苦労することになるわけです。その場で次に何がおこるのかアンテナを張って、察知しながら、何かがおきる前からベストなカメラ・ポジションを確保して撮影していなくてはならない。

金子　『ザ・ビッグハウス』は、これまでの観察映画とはちがう条件でつくっていますよね。十戒からはみだしてしまうような要素もある。たとえばプロデューサーがいるとか、自費で製作していない、映画の著作権はミシガン大学がもっているとか。日本ではなくて、ワイズマンと同じ国を舞台に、つまりはアメリカで撮っているということも大きいですよね。

想田　たしかにいろいろな部分で十戒は守っていないのですが、核の部分が守れればいいと思いました。つまり、先にテーマや台本などを決めるのではなく、撮影してから考えるというオープンな撮り方ができるかどうかが重要でした。この点に関しては、マークさんやテリーさんとプロジェクトに入る前に、かな

『ザ・ビッグハウス』

り話し合いました。それから、ぼくが気にしたのは編集権の所在ですよね。最終的には、この映画は大学のプロジェクトになるので、どれくらい大学当局から検閲がおこなわれるのかを心配した。結果としては、大学側は教育の一環として考えているので、内容をチェックすることもなく、製作の自由は保たれました。

金子　想田さんの『港町』(2018年)も実験的なドキュメンタリーでしたが、このところ、ダイレクト・シネマ以降の動きがでてきているのかもしれません。2017年の「山形国際ドキュメンタリー映画祭」で上映された、ジュー・ションゾー監督の『また一年』(2016年)は、中国の労働者の家庭の食卓を据えおきカメラで延々と見せる作品でした。同時代のダイレクト・シネマ的な映像表現、たとえばワン・ビンの作品についてはどうご覧になっていますか。

想田　ワン・ビンの作品は『鳳鳴――中国の記憶』(2007年)や『収容病棟』(2013年)は見ています。国際映画祭にいくとよくワン・ビンに会いますし、賞を競い合うライバルでもあります。彼は英語をまったく話さない人なので、同じ場にはいてもあまり会話をしたことはない。『収容病棟』に関しては、すごいものや光景が撮れていますが、撮る側と撮られる側のあいだに、あまりに前者に有利で非対称的な権力関係があるから、倫理的な問題がどうしても気になります。ワン・ビンは一応は民主的な日本や欧米の社会で撮影しているのではなく、中国の病棟で撮っている。すると、そこにはぼくたちが常識だと思っているような人権は存在しておらず、彼らは撮られることを拒否することができない。実際に撮影を嫌がっている場面も映りこんでいますが、

ミシガン州ってどこ!?

ココ!!

アメリカ合衆国中西部
に位置してます。

州の北と東はスペリオル湖、ヒューロン湖

淡水湖としては
世界最大の面積を持つ湖

五大湖のうちの1つの湖で、
スペリオル湖に次いで2番目に
大きい

を挟んでカナダ国境に接し、西はミシガン湖越しにウィスコンシン州に、
南はインディアナ州とオハイオ州に接している。

湖のまちだ!!

ミシガン大学ってどんな大学??

公立の大学として最高の部類に属し、
俗にパブリック・アイビーと称される
世界有数の名門大学☆

どうやら優秀な卒業生も多く、
アーサー・ミラーやノーベル賞受賞者も多数
Googleの創設者のひとり、ラリー・ペイジや、
ニューイングランド・ペイトリオッツのトム・ブレイディ
も!!（アメフト好きなら反応しちゃう）

大学の敷地内には
大きな美術館も!? うらやましい!!

それでもワン・ビンは撮りますよね。そして公開もするということは、撮影対象に対してビデオカメラをもっている人間の方が力関係として、圧倒的に優位に立っていることを意味します。それが、まだ人権が確立されていない中国社会で撮ることの特殊性です。

日本とかアメリカでドキュメンタリーを撮影するのであれば、つくり手側が被写体の人権をどのように考えているかということが常に問われるし、ビデオカメラが暴力性を発揮すればかならずそれは批判されることになる。あるいは、撮る権利と撮られたくない権利が衝突して、上映ができなくなるということがおきる。ワン・ビンの作品には、そのような制約が弱い分、ぼく自身はアンビバレントなものを感じます。中国の歴史において、あのような収容病棟の内部を撮っておくことは、のちの時代から見たら非常に資料価値の高い映像になることでしょう。それを同時代の人びとが観ることにも、大きな意味はあると思います。しかし『収容病棟』を観ていて、自分の見られたくない姿を撮られている人たちのことを考えると、単純に賞賛することもできないのではないでしょうか。ただしそれはワン・ビンに限らず、ドキュメンタリーを撮るぼくたちすべてに、共通して発生しうる問題でもあります。

〈観察映画の十戒〉

①被写体や題材に関するリサーチは行わない。
②被写体との撮影内容に関する打ち合わせは、原則行わない。
③台本は書かない。作品のテーマや落とし所も、撮影前やその最中に設定しない。行き当たりばったりでカメラを回し、予定調和を求めない。
④機動性を高め臨機応変に状況に即応するため、カメラは原則僕が回し、録音も自分で行う。
⑤カメラはなるべく長時間、あらゆる場面で回す。
⑥撮影は、「広く浅く」ではなく、「狭く深く」を心がける。
⑦編集作業でも、予めテーマを設定しない。
⑧ナレーション、説明テロップ、音楽を原則として使わない。
⑨観客が十分に映像や音を観察できるよう、カットは長めに編集し、余白を残す。
⑩制作費は基本的に自社で出す。

第2章 ユーラシア文化の多様性

⑤ジプシーの人生と悲喜劇——トニー・ガトリフとの対話

［フランス＆ルーマニア］

アルジェリア出身の映画監督トニー・ガトリフ（1948年生まれ）は、フランス人とロマのハーフであり、いわゆるジプシーと呼ばれる人びとに関する作品を撮ることをライフワークにしている。『ラッチョ・ドローム』（1993年）では、北インドからヨーロッパへ移動してきたロマの流浪の歴史をダンスと音楽で描いた。『リベルテ』（2009年）では、ナチス・ドイツのホロコーストで50万人が虐殺されたといわれる大戦中のロマの悲劇を取りあげた。近年の『ジェロニモ　愛と灼熱のリズム』（2014年）では、南フランスにおけるトルコ系移民とロマ民族の衝突のなかに若者の愛のストーリーを描き、広い視野から少数者をモチーフにしている。

アルジェリアのロマに生まれて

金子遊　トニー・ガトリフ監督は1948年生まれで、60年代になるまでフランスの植民地だったアルジェリアで生まれ育ったということですね。ガトリフ監督が、フランス人とロマ民族のハーフとして、その地で過ごした少年時代はどのようなものだったのでしょうか？

トニー・ガトリフ　すごく貧しかったけれども、自由で幸せでした。服もなく、靴もなく、食べるものもありませんでした。小さい頃から、アルジェリア戦争（1954―62年）の暴力にさらされていました。4、5歳くらいのとき、亡くなった人たちの死体を見ました。わたしの目の前で人が殺されていくのです。町から離れて田舎へいくと、銃で撃たれた人やナイフで刺された人の死体が転がっていました。非常に強い戦争の暴力が身のまわりにありました。映画のなかのできごとのように、いまでも映像が頭のなかに残っています。ある夏の日に、住んでいた家の中庭へでました。あまりに暑かったので、わたしたち子どもは何も着ていませんでした。何時間も、黒い空を明るい光の筋が飛びつづけていました。それは植民地支配をつづけようとするフランス軍が、隠れている国民解放軍側のアルジェリア兵を撃っていたのですね。とても怖かったけれど、美しい映像でもありました。戦争時に生まれ育った人しか、そのような光景を見たことはないでしょう。

金子　ガトリフ監督のお母さんが、スペインのアンダルシア地方出身のロマ民族ということですね。ひと口にロマといってもつかう言語もさまざまで、人種も混血しており、文化もさまざまだと思います。そのような戦争を体験した少年時代のなかで、監督がお母さんを通じて接触していたロマの文化とは、一体どのようなものだったのでしょうか?

ガトリフ　常に身のまわりには、ロマの音楽や文化がありました。アルジェリアに住んでいましたから、ロマの音楽だけでなくオリエンタル音楽も身近なものとしてあり、それらは混淆されていました。ですから、映画を撮りはじめてからも、単に伝統的なロマ音楽というよりは、北アフリカやイスラムの音楽をミックスして映画のなかでつかっています。母から直接的に受けた影響としては、自分がいま滞在している土地から、いつでも自由で独立しているというあり方です。それは、いまでも自分の行動規範や教えになっています。世界中のどこへいっても自分の家というものがないので、反対に、どこでも自分の家になりうるのです。ホテルへいっても、銀行へいっても、自分の属する場所ではないという感じがしません。

それから、これも母からの教育だと思うのですが、18歳の頃、どんなときでも相手の目を見るようにと教わりました。相手の目を見ることは、その人の魂を読むようなところがあります。目は人間の中身を見る窓口なのです。目にはその人の心が映って見えますし、正直であるかどうかとか、その人の本質がわかります。そしてロマの話でいえば、警察や税関の官吏は目を見られるのが嫌いなのですね。わたしはいつも相手の目を見てしまうので、そのような種類の人たちとすぐにトラブルになってしまいます。目をあわせない人はよいのですが、わたしのように目をあわせる人は、たいてい税関に「止まれ」と声をかけられる。それがロマであることなのです。ロマの子どもや女性も同じです。いつも相手の目をじっと見つめるのです。彼らは一度とらえたら離さないような、そんな直接的なまなざしをしています。

トニー・ガトリフ監督

移動民と音楽の混淆

金子　『ラッチョ・ドローム』（1993年）についてうかがいます。ロマの起源については諸説がありますが、この映画ではインドの北西部から、エジプト、トルコ、ルーマニア、ハンガリー、スロバキア、フランス、スペインへと流浪するロマの歴史を、ダンスと音楽でなぞっていきます。ロマはロマ語という特有の言語をもっているのですが、文字をもってこなかったため、その歴史ははっきりと記述されてきませんでした。そのようなロマの流浪の歴史を、ダンスと音楽だけで描こうとした理由を教えてください。

ガトリフ　その前の『ガスパール／君と過ごした季節』（1990年）という映画をつくったあとに、世界中を旅してまわったことがあったのです。わたしがどんなところへいっても、旅先で出会ったインテリの人たちはこんなことをいいました。「ロマの起源はどこなのだろうか、きっとボヘミアではないのか」「いやエジプト起源説というのがある」などと、いろんなことをいうのです。ロマの起源や歴史に関しては、みんなが好き勝手なことをいっている状態でした。ロマは正統な歴史の記述というものをもっておらず、ただ1つの真実というものをもっていないので、誰もが好きなことをいえるという問題を抱えています。当のロマたち自身ですら、自分たちがどこから来たのか、よくわかっていない状態でした。

ところで、映像というものには、それが与えられた瞬間に動かせぬ事実になるという性質があります。わたしが『ラッチョ・ドローム』をつくったのは、さまざまな疑問に答えるためでした。ロマの民族というものは一体どのようなものなのか、ロマの人たちは一体どこからやってきたのか。この映画はナレーションをつかっておらず、何の解説もなく、言葉による説明というものを極力排しています。それは、この映画のなかから嘘を取りのぞくためでした。言葉は嘘をつくことがありますが、音楽は嘘をつかないからです。想像してみてご覧なさい、すばらしい音楽家というものは誰も嘘をつきませんよね？　音楽家が嘘をつくということは、ちゃんと自分の演奏ができていないということです。ですから、きちんと演奏ができるということは、彼／彼女が真実のなかにあるということを意味します。ロマには音楽とダンスの長くて深い伝統があるので、それらの音楽によってロマの歴史と文化を語らしめようと考えたのです。

たとえば、民族学者や音楽学者が『ラッチョ・ドローム』を観て、それを緻密に分析し、どの音楽がどのような文化からやってきたものなのか、突き止めることは簡単なことだと思います。この映画では、ロマ民族は西インドから出発して、トルコやバルカン半島、それに東ヨーロッパなど9つの国を通りますが、最後にはスペインに到達するのです。音楽的にいえば、ジプシーがフラメンコ音楽にたどり着いたということですね。それはロマにとって、すべての源泉ともいえる豊かな音楽だといえます。ロマの人たちは東から西へ移動するにつれて、音楽的にはさまざまなものを吸収しながら、だんだんと彼らの音楽を豊かにして改良していったのです。そうやって、フラメンコに行き着いたといえばよいでしょうか。フラメンコのなかには、インドの音楽も中東のパキスタンやイランの音楽も要素として入っているし、トルコもギリシャもルーマニアもハンガリーからも影響を受けていますし、ボヘミア地方の音楽もドイツやフランスの音楽も入りこんでいるといえます。

『ラッチョ・ドローム』のポスター

金子　ガトリフ監督の『ベンゴ』（2000年）では、アンダルシア地方のロマ（ヒターノ）とフラメンコがあつかわれていますね。ダンサーのアントニオ・カナーレス、ギターのトマ・ティーノ、歌はラ・パケーラ・デ・ヘレス、それにスーフィー音楽のアマッド・アル・トゥミまで、超一流のすばらしいアーティストが参加しています。映画の物語としては、ロマの家同士の対立と血による復讐を描いていますが、ダンスや音楽の面では、さまざまな文化の混淆がフラメンコのなかで実現されていることが伝わってきます。

ガトリフ　そうですね。ロマの放浪の歴史というものを振りかえってみれば、最終的には1423年か1424年あたりに、ロマの人たちは貿易をするために、スペインへとたどり着いているのです。そうやって、アンダルシア地方のロマの人たちは、その土地でフラメンコの音楽をつくりだしました。それはわたしたちの民族にとって、とてもポジティブなことだったのです。さまざまな土地や民族や文化との交流があって、それらとの混合があって、ロマの音楽やそのほかの文化が豊かになっていきました。ロマの人たちは暴力をつかわない、伝統的な平和主義者です。ずっと貧しい状態で、国から国へと移動民の生活をつづけながら、さまざまなものを吸収していき、ほかの人の土地を通過していく生来の旅人です。過去の戦争において、定住民の人たちは他人からお金を奪い、暴力的に女性を凌辱することが多々ありましたが、移動民であるロマはそのようなことをしないのですね。その土地の言葉と音楽を身につけて、通りすぎ、次の場所へむかっていくだけだったのです。

ロマと迫害の歴史

金子　監督の『ガッジョ・ディーロ』（1997年）では、ルーマニアのロマの村が舞台になっており、タラフ・ドゥ・ハイドゥークスらのジプシー音楽が映画のなかで重要な役割をになっていますね。ノラ・ルカというロマの歌い手を探すためにパリからやってきたステファンと、ロマの長老イジドールとの交流や、ロマの女性サビーナとの恋愛が描かれています。この映画の「よそ者」という意味のタイトルはステファンがロマの村で呼ばれる呼称であると同時に、監督がおっしゃるように、インドからヨーロッパへと旅をつづけてきたロマ自身のことを指すのかもしれません。この映画には、イジドールを含めて実際のルーマニアのロマの人たちが出演しており、後半ではロマの人たちに対するひどい差別と暴力の描写もありました。この映画であつかわれている東欧のロマの人たちについて、お話を聞かせてください。

ガトリフ　はい。わたしはこれまでこのインタビューのなかで、主にロマの歴史を語ってきたわけですが、フランスやヨーロッパ世界へ15世紀に到着したロマは、それからずっとその土地土地で移動民として固有の歴史をもってきました。それと同時に、ヨーロッパへきたときからロマの人たちは偏見の目で見られ、迫害され、スケープゴートにされてきたということもあります。ありとあらゆる種類の悪意のあるレッテルが、ロマの人たちに対して貼られてきました。わたしはずっと映画の仕事を通してロマを描いてきましたが、あるときから、東ヨーロッパにおけるロマをこそ描くべきだと考えるようになりました。東欧の人たちは大抵が、白い肌をした金髪の人たちですね。そこへ、15世紀にロマの人たちがヨーロッパへと移動してきたのです。彼らはいくつかの家族同士で集まって、400人くらいが群れのようになりながら移動生活をしていました。ロマの人たちは髪の毛が黒くて、インド人のように肌が浅黒くて、長いあいだ風に吹きさらされていますから、その髪も肌もボロボロだったのです。とても貧しくて、服装も汚くて、持ち物もみすぼらしいものばかりでした。

そのようなロマたちを見て、地元の人たちは、悪魔がやってきたかのように見なしたのですね。15世紀ごろの中世ヨーロッパの世界では、悪魔という迷信がとても大きな力をもっていました。宗教裁判や魔女狩りにおいて、多くの罪のない女性が、悪魔に取りつかれているとして処刑されました。そのような時代から、じつに1930年代にいたるまで、ヨーロッパにおいてずっと不正な裁きを受けてきた人たちが、ロマの人たちだといえます。ロマは行政的に排除され、治安維持の名目のため警察からは弾圧され、一般の人たちからは差別と迫害の対象とされてきました。そして、20世紀初頭のハンガリーにおいては右傾化が強まっていき、1930年代になるとファシストが台頭し、ナチス・ドイツと協調するようになりました。そうなると、ハンガリーの人びとはロマを捕えて監禁し、ナチスへと強制移送して引き渡すようになったのです。ルーマニア、ドイツ、フランス、イタリアにおいても、そのような蛮行がファシスト政権の下で正当におこなわれるようになってしまったのです。

金子　なるほど。そのお話を聞いて、すぐに思いだすのは、日本では未公開になっているガトリフ監督の『リベルテ』（２００９年）のことです。第二次世界大戦の時代には、50万人におよぶロマの人たちが、ナチスのホロコーストによって強制収容所へ送られて虐殺されたといわれています。この事実は何とも不条理なことに、日本国内ではあまり知られていません。この重厚な歴史的映画は、１９４３年のフランスの田舎町にロマの一団が到着して、村の人たちと交流していくうちに、だんだんとファシストの魔の手がのびてくるというストーリーになっています。この映画の背景となった歴史的事実について、お話しいただけないでしょうか。

ガトリフ　ええ。わたし自身もそのような事実を知ったときに衝撃を受けて、それで『リベルテ』という作品を撮ったのです。多くのロマたちが殺されました。50万人という数字は途方もないものです。ロマの人たちは移動民ですから、定住民の人たちから見れば非常にもろい存在にすぎなかったのですね。そして、ロマは文字をもたない民族でもあるから、昔から彼らの文化や民族性というものは、年老いた人たちによって口から口へ、人から人へと伝承されてきました。ところが、そのようなロマに対する大弾圧と虐殺がなされたときに、体の弱い年寄りからどんどん亡くなっていったのです。その結果、民族の記憶を次の世代へ伝える人たちがいなくなってしまった。ロマの人たちは重要な記憶をも消し去られてしまうということがおきたのです。にわかには信じられないことかもしれませんが、それが本当におきたできごとなのです。

金子　最後に『ジェロニモ　愛と灼熱のリズム』（2014年）についておうかがいします。この映画では、南フランスを舞台に、ロマの青年ラッキーとトルコ系移民の16歳の少女ニルが駆け落ちしたことから、アラブ／イスラム系の社会において伝統的なものとして残る「名誉殺人」がもちあがり、2つの少数民族の家族や、彼らが住んでいる地区をも巻きこんだ対立が激化していきます。ここでは、フランスにおけるトルコ系移民とロマのグループの抗争として描かれていますが、どうしてこのテーマを取りあげたのか教えていただけないでしょうか？

ガトリフ　現代社会において、それがとても重要であり、深刻なテーマだからです。多くの女性が危険にさらされていて、「名誉殺人」と呼ばれる伝統のために、実際に殺されているケースも多々あるのです。それはアラブ世界やイスラム系の国々だけに限らず、トルコ、ブラック・アフリカ、パキスタン、アフガニスタン、インドといった地域にも存在しています。インドやアフガニスタンやトルコや北アフリカから、フランスやドイツなどの西ヨーロッパへ渡ってきた人たちは、随分と前から移民をしてきたわけであり、次第にそのような古い伝統を忘れていった人たちもいれば、いまでも根強くもっている人たちもいるのです。『ジェロニモ』のなかでは、後者のような人たちを描きました。

2000年代以降の長引く景気の低迷があり、しまいには経済破綻する国家がでるなど、現在のような社会システム自体に欠陥のある時代になると、社会問題が頻出し、貧しい人がもっと貧しくなるという格差社会の現象が顕著になってきます。そのようなシステムのなかで、真っ先にしわ寄せを食らうのが、移民や少数民族などの社会的な弱者なのですね。彼らは貧しさや実存的な危機のさなかにあり、そうすると、家族のなかにも何らかの形でひずみがでてきます。そのような状態のときに、この『ジェロニモ』という映画のように、未成年の女の子が家族の決定に従わない、親が定めた相手と結婚しない、そして家族と一緒に住みたがらないという問題がおきると、その女の子自身が危険にさらされてしまうのです。

『ジェロニモ』
© Film du Losange

これはとても不思議なことなのですが、そのような家族のなかでは、むしろ若い人たちがもう一度「名誉殺人」のような伝統をもちだしてくるのです。ヨーロッパ社会のなかに自分の居場所がなく、家の外では彼らは移民として傷つけられており、自分自身のプライドを保持できないような状態にあるのですね。もちろん、彼らは国籍的にはフランス人やドイツ人であるのですが、それと同時に、トルコ人やパキスタン人といったルーツをもっていることに誇りを感じているのです。ですから、『ジェロニモ』ではニルの兄である18歳の年若い少年が、名誉殺人をやろうなどと思いつくのです。それと対照的に、もともとそのような古い伝統を保持してきた上の世代の人たちは、そのような伝統には、もうこだわっていなかったりします。そのように移民としてルーツを失っていく上の世代に対して、若い人たちが反発するということがおこります。さまざまな形において、病んでしまった社会だと思います。

金子　そのようなロマ民族とトルコ系移民の対立のなかで、マイノリティ同士の対立を和解させようとする人物として、非行する少年少女の指導をしている30歳のジェロニモと呼ばれる女性が力を尽くします。ジェロニモという女性のあり方に、監督が託そうとしたものは何なのでしょうか?

ガトリフ　わたしはいまこの世界で、いったい何がおこっているのか、そのことにずっと関心を抱いています。わたしは世界のいたるところで経済危機、政治や社会の危機があり、うまくいっていない問題がたくさんあると感じます。インターネットの世界が非常に暴力化していて、それは世界というものがどのようになっているのかを考えるときの縮図として考えることができます。インターネットの技術自体はすばらしくて便利なツールなのですが、それは原爆や原発のように、悪利用される可能性をも含んでいます。人間はすばらしいものをつくりあげることができるのですが、それをうまくつかいこなせないのもまた、人間存在というものなのでしょう。

ジェロニモのような人物は、インターネット上には存在できない何かだと思います。というのは、彼女は人と人を結びつけようとする人物であり、いまの世界では、その反対に人と人とを分かつ試みをする人が多いですから、そのように人びとをまとめようとする人物は貴重だといえま

ロマの人々って？？

ジプシーと呼ばれてきた集団のうちの
主に北インドのロマニ系に由来し、
中東欧に居住する
移動型民族のこと!!

↓

起源は諸説
ありすぎて、一様では
ないみたい…

ローマ帝国時代には、
ロマを殺しても基本的には
罪に問われなかったり、
各ヨーロッパで退去しろ
だの、むしろ定住しろだの
不当な扱いを
受けていました…

映画「ガッジョ・ディーロ」は、
ルーマニアの
ある田舎の
おはなし!!

ドイツでは、
ナチス時代ユダヤの
ホロコーストと同様、
虐殺の対象と
されてました…
ひどい!!

そして、
今でも差別は無くなっていない
のです…。

しかし、音楽への影響は
すごいぞ!!

スペインのフラメンコや、
トルコのベリーダンス
など…
ロマの人々の音楽は、様々
な国に息づいている!!
なんと、クラシックにも大きな影響が!?
ハンガリー狂詩曲など、きいてみて!!

す。だからこそ、ジェロニモのような人たちのことを語らなくてはならないし、さもなければ強い者ばかりがずっと勝っていき、弱い者たちはますます追いつめられていく。その結果、ふたたび大きな悲劇がこの世界をおそうにちがいありません。映画のなかにおいても、実際の社会においても、ジェロニモのような人物が存在することこそが、わたしたちの唯一の救いだと考えています。

最初につくった映画作品から、いまにいたるまでの映画は、現代ヨーロッパにおける社会問題を語っているのだと思います。アルジェリアで暮らした少年時代や青年時代、わたしのまわりには戦争による暴力が蔓延しており、また、わたしの家族のなかにも暴力が存在していました。わたしは、アルジェリア時代のひとりの小学校の先生のことをよく覚えています。彼はジェロニモとちがって男性でしたが、まさにジェロニモのように人びとをまとめ、たがいを結びつけようと努力している人でした。革命的な正義の人であり、人びとの平等とみんなの権利のために闘っていた人でした。家族よりも何よりも、その小学校時代の先生の影響が、わたしにおいては強いのだと思います。わたしもまた、映画を通して彼のような活動をつづけていきたいと思っているのですから。

（通訳＝高野勢子）

⑥ハンガリー大平原と人間存在――タル・ベーラとの対話

［ハンガリー］

ハンガリーが生んだ孤高の映画マイスターであるタル・ベーラ（1955年生まれ）。日本では『ヴェルクマイスター・ハーモニー』（2000年）や『倫敦から来た男』（2007年）といった代表作が公開されているが、初期の作品はまだ未紹介である。2011年に完成した『ニーチェの馬』をもって、監督本人は長編映画の製作からの引退を表明した。その後は後進の指導にあたり、『象は静かに座っている』（2018年）のフー・ボー監督らを輩出している。1994年に完成した7時間18分におよぶ映画『サタンタンゴ』と『ニーチェの馬』において、ハンガリー大平原を舞台にきびしい環境を前にじた人間存在に迫るべく、どのような演出術を編みだす必要があったのか。

『サタンタンゴ』について

金子遊　まず『サタンタンゴ』についてお聞きします。前半はハンガリーの寒村における、医師イリミアーシュ、少年シャニ、妹エシュティケ、その母親、中年男フタキらをめぐるエピソードが、時間が進んでは戻って、また進んでは戻ってくるという、まさにタンゴのステップのように進行します。後半にイリミアーシュが村に帰った後から、時間はまっすぐに進行します。クラスナホルカイ・ラースローの原作小説からスタートして、資金集めのために脚本を書き、またそれを破棄して新しい脚本を書いて、このような構成にいたったプロセスがどのようであったのか教えてください。

タル・ベーラ　この映画の企画は、友人のラースローから処女小説『サタンタンゴ』を原稿で渡されたことから始まっています。わたしはひと晩でその小説を読み終えて、惚れこみ、ラースローに気持ちの上でつながりを感じました。それで彼とわたしのふたりは、映画をつくることに決めました。それから、わたしは2年間かけて、この映画の舞台となるハンガリー大平原のいろいろな場所を歩いてまわりました。それはロケハンという側面だけでなく、その土地に住む人びとのことを知り、その土地の風土や考え方を知り、その風景を理解し、その風景の意味を知り、その土地の時間の流れを理解するための行為でもありました。ある程度の知識を得たところで、「さて、どうしようか」と考えた。そのときに、わたしは原作小説のドラマツルギーと構成をそのまま活かそうと決めました。

ただ、そうやって旅をつづけているときに、ポケットに入っていたのは映画の脚本ではなく、ラースローの小説の方でした。彼はこの映画で、わたしとふたりで脚本を担当することになりました。とはいえ、完全に忠実に小説を映画化したわけではなく、映画ではさまざまな変化を加えています。彼の小説の文体をそのまま映画に置き換えることは不可能だといえます。全般的なところで、この小説を映像の世界に落としこむ方法を見つけなくてはならなかった。わたしはそこでおこなった行為を「脚色」とは呼びません。むしろ、現実というものを通して、あるいは現実からくる映画的な言語を通して、この小説を映像に翻訳したのだというふうに思います。ですので、映画の構造を原作小説から変えることはしていません。

おっしゃるように、『サタンタンゴ』という映画の前半と後半を含む構成は、3つにわかれています。1部と2部は、物語を少しずつ積み上げていくプロセスです。3部において、物語が終焉を迎えることになります。最初に資金を集めるために脚本を書きましたが、そのときはリニアに近いかたちの時制で進む物語になっていました。およそ9年後にやっと製作費が調達できる目処がついたときに、ラースローらと打ち合わせをして、原作小説に近い章立ての構成にもどすことに決めました。そして、すべての章の終わりに、ラースローの小説の文章を入れることにしたのです。

　あなたは後半の物語が、時間軸として直線的に進んでいくといいましたが、わたしはそのようには思っていません。後半もまた純粋にリニアな時間軸にはなっていないと思います。イリミアーシュやペトリナとともに物語が進む場面もあれば、次の章では村の人びとと一緒に時間を経験する部分もあるわけで、物語は木の根や枝のようにさまざまな方向へ分岐していっている。しかし、それらのすべてが終わることになります。医師が、彼の知ることになったことをすべて書きつづり、そこで物語は終焉を迎えることになる、そのような構成だと考えています。

タル・ベーラ監督

金子　この映画における約150カットの多くが、長回しで撮られたことが強調されます。しかし、そのこと以上に、カメラが少しずつながらずっと移動し、動いていることの方に驚きを感じます。そして、それらのショットがこれしかないという位置、フレームサイズ、コンポジションを獲得していることが真の驚きです。イリミアーシュと子分が風のなかを歩いているショット、濡れた地面で牛たちが交尾をしているショット、酒場にゆっくりとカメラが入ってきて主人が立ち上がるショット。原作の小説や完成された脚本から、どのようなリハーサルとカメラテストを経て、現場における長回しと移動撮影にいたるのか、『サタンタンゴ』の具体的なシーンを例にお話しください。

タル　それは本当にわかりません。あなたの質問は、たとえれば、料理人の方に「いま、そのおいしい料理をどうやって作ったのか」と訊くのと同じような性質をもっていますね。演出をするためには、感じなくてはなりません。料理をつくっている場合、もう少し塩を入れようとか、ハーブを加えようとか、スパイスをかけようとか、感覚的に味覚で感じながら調理をしていくものです。それと同じように、劇映画の演出にも決められたレシピがあるわけではありません。特に『サタンタンゴ』という映画では、原作小説に書かれたハンガリー大平原で起きるできごとを見せようとしたわけで、そのなかで自分がやらなくてはいけなかったことは、映像にとって正しいリズムと正しいタイミングを見つけることでした。それが自分にとっては重要なことでした。なぜかというと、わたしたちの人生というものは、その空間のなかで、その時間のなかで起きているからです。それが、製作中の自分にとって最大の、創作の鍵となる問いかけになりました。もう少しそれを深く掘り下げたいと考えた。その映画の物語にとって、正しい映画的言語を見つけなくてはいけなかったのです。

『サタンタンゴ』の映像で見せたかったのは、ハンガリー大平原のあり方です。その土地は本当に平らな平野になっており、それがどこまでもどこまでもつづいていくような、何もない風景なのです。そのような土地、そのような風景をどのようにして映像言語で伝えることができるのか。そこには、もちろん自然が広がっているので、雨やぬかるみ、人間たちや動物たちを描きながら、その複雑な全体像を何とかしてとらえたい、映像で見せたいと考えたのです。大平原を前にして、どのような映像のコンポジションをとり、どのようなカメラワークを使いたいかと考えるときに、それは自分の頭でこねくり回すものではなく、向こうからやってくるものなのです。それはただ、起きるものです。それは立ち現れるものなのです。自分自身が撮影するロケーションの現場に座って、考え、そしてこの場面における主題、あるいは核になるものは何か、と少しずつ理解していく。そうやって理解を進めながら、ただ撮っていくしかないのです。

　ところで、『サタンタンゴ』のラストシーンでは、鐘の響きが聴こえてきて、それまで彼の見聞を書き記していた医師が「天の響きかと思ったら、魂の響きではなかった」というセリフをいいます。そして、窓をすべて閉めてしまう。この医師は村で起きることを観察しているわけですが、そこで起きる多くのことを見逃してもいる。映画、そして人生に必要なものはなんでしょう。照明、つまり光で

『サタンタンゴ』
（写真提供：ビターズ・エンド）

す。それをすべて閉じてしまうということは、物語や映画の終末を意味します。それだけにとどまらず、「世界を見る」ということに終止符を打つことでもあり、医師はもうこれ以上世界を見たくないと感じ、窓を閉じてしまう。彼がラストシーンで書いている文章は、実は映画の冒頭と同じものです。そうやって映画の円環が閉じられるわけです。

たとえば、誰かに『ニーチェの馬』をどのように撮ったのかと訊かれたら、『サタンタンゴ』に比べて、あの作品の方が難しかったと答えることでしょう。なぜなら、室内のシーンばかりで構成された映画だからです。登場人物がテーブルの前にいて、窓際やドアの前に移動し、またテーブルの方へもどってくるといった動きが多かった。そのような映画を撮るにしても、とにかく現場で感じなくてはいけません。空間を感じながら、あるいは、場所がもっているリズムを感じながら、映像というものは自然に立ち現れてくる。もちろん、映画監督には撮影をして画を正しく見つけ、編集によって映像のリズムを見つける仕事があります。それは、監督のもつテイストからくる面もありますが、その場所で起きることに耳を傾ければ、自然に感じられるものなのですよね。

金子　おもしろいですね。話が映画を演出することの、核心の部分に入ってきているという感じがします。

タル　理解していただきたいのは、まず、そこで何が起きているのかということを感覚しなくてはいけないということです。それが本物の、現実的な映画づくりです。映画をつくるなかで、自分がもつ知識に問いかけるわけです。そして、それを少しずつ変更しながら、慎重に推し進めていかなくてはならない。だから、それをどのように撮るかは自分が決めるものではない。それは感じること、感性の問題です。撮影の対象となる登場人物たちに共感し、思いを寄せる力の問題です。俳優はそれぞれ異なった個性をもっており、人によっては同意を求めるし、他方で平手打ちを求めるような人もいます。ですから、監督は1つの大きなオーケストラを前にした指揮者のように、そこで何が起きても、きっちりとまとめていかなくてはならない。それが映画監督のもう1つの、本当の仕事だといえます。

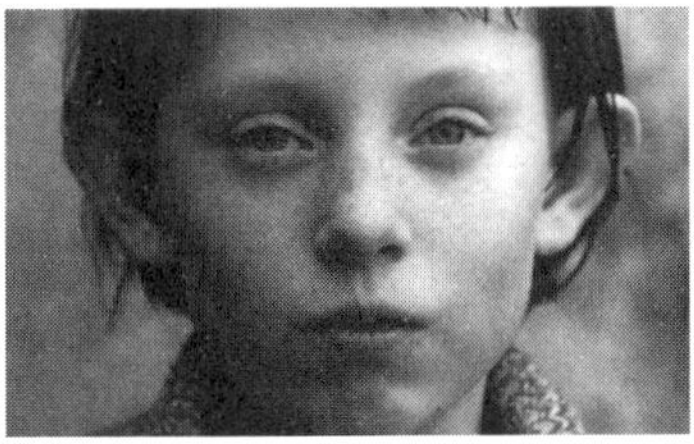

『サタンタンゴ』
(写真提供：ビターズ・エンド)

『ニーチェの馬』について

金子　いま『ニーチェの馬』について言及があったので、もう少しお聞きしたいです。この映画は『サタンタンゴ』に比べると、多くの場面が室内で撮られています。メインの登場人物も初老の男とその娘だけであり、シンプルなことこの上ないフレーミング、カメラワーク、人物の動きだと思われます。具体的に『ニーチェの馬』のなかのどのようなショット、どのようなモンタージュにおいて、ご自身の映画言語は完成されたと感じたのでしょうか。それによって、長編劇映画からの引退宣言までなさっているのですから、どこにその実感があったのかお話ししてもらえないでしょうか。

タル　もちろん、満足していなければ、映画として完成し、世に問うことはないでしょう。スタッフやキャストに訊いてもらえばわかりますが、わたしは完璧主義の人間です。そして、『ニーチェの馬』をどのように撮ったのかは、本当にその撮影現場のロケーションから、そこに配置された登場人物たちから立ち現れてきたのであって、そこに創作の秘密はないのです。撮影現場に座っていると、ここはこのように撮るべきだ、これでいくべきだと理解できます。それをカメラマンや他のスタッフに伝えると、複雑すぎてスタッフがパニックに陥ったり、さまざまな困難に直面したりすることになる。

わたしは、たくさんではないけれど、それなりに映画作品を撮りつづけてきました。ここ40年にわたって、1作品ずつ、少しずつ自分の映画的言語というものをつくり上げてきました。より純粋で、より豊かな、より難解なものになってきました。自分がどのような映像をスクリーンの上に描きたいのか、そのヴィジョンを育ててきたのです。1つよく覚えているのは、わたしと一緒に仕事をした撮影監督の誰もが、現場で照明や美術や衣装や俳優をセットしたあとに、わたしが「このように撮って、こうカメラを動かして、俳優をこう動かしたいんだ」というと、「それは不可能です」と答えたことです。ですが、わたしは「不可能」という言葉が大嫌いなんですね。

ここで1つ、あなたに問題をだしてあげましょう。いまから『ニーチェの馬』のなかの2つのショットを見せるので、これらをどのように撮ったのか答えてください。最初のショットは、娘が窓の外をむいて窓際にすわっているフルショットです。その次にくるのが、石造りのかまどの上で、じゃがいもを茹でている鍋のショットですね。さて、カメラの位置はどこにあるでしょうか？　よく見てくださいね。壁のところにかまどがあり、その上に鍋が置いてあります。そのかまどの上には煙突がついています。さて、わたしたちがどうやって撮ったか説明してみてください。

金子　ああ、なるほど。最初のショットは、室内から窓ぎわに座っている娘を撮っています。しかし、後続のショットでは、カメラがイマジナリーラインを越えて、まるで家の外から撮影したかのようなアングルでかまどの上の鍋を撮っています。ということは、この家はロケセットで、あなたは壁を取り外せるようにしておいて、このショットを屋外から撮ったのではないですか？このショットが壁の側から撮られたことは確かです。壁を取り外したのでなければ、鏡を使うしかなかったでしょう。

タル　ちがいます。これは本物の家であり、壁も石造りの本物なので動かすことなどできません。ノー。どこの誰が、鏡なんか使うものですか！

金子　お手上げです。

タル　まず、監督は後続のショットのような、かまどの上にある鍋を撮りたいというヴィジョンをもっていなくてはなりません。この田舎家の内側の家具を並べたときに、事前にかまどを動かさなくてはいけないということを、美術部に伝えておきました。ですので、石造りの重たいかまどは移動できるようになっていました。けれども、先ほどいったように、そこには煙突がついていて、実際にかまどに火をくべているので、両者を丸ごと動かせるようにしなくてはならない。わたしが『ニーチェの馬』の舞台となる家屋に入ったときに、何を見せたいのかが自然と立ち現れてきて、それを感じたので、自分のヴィジョンのとおりに撮影できるようにスタッフに頼んだのです。

このかまどの上の鍋のショットを実際に撮影したときは、かまどを動かして、石の壁とかまどの間にカメラを入れて撮りました。そして、もう一度カメラがまわりこんだときに、煙突とかまどを元の位置にもどしました。すごくシンプルです。上からパンダウンしてきて、鍋でじゃがいもを茹でている光景が映り、カメラがまわりこんで娘を見て、彼女が鍋からじゃがいもを取りだす姿があって、それをテーブルに運んでから食べる。そして、カメラがまわりこむと、今度は初老の父親がどのように座っているかが、スクリーンに映しだされるというわけです。

金子　なるほど。ところで『サタンタンゴ』に近い特質が、2011年の『ニーチェの馬』にもあると思います。両者ともハンガリーの田舎の村を舞台にし、人びとは大きな自然の力を前にして無力で、貧困に直面しながら生きている。『サタンタンゴ』と『ニーチェの馬』では、実際のハンガリー大平原における風土、そして人々の生活習慣や民俗をモデルにしているのでしょうか。

タル　同じハンガリー大平原といっても、『サタンタンゴ』と『ニーチェの馬』の舞台は異なっています。『ニーチェの馬』は東部で撮っていて、『サタンタンゴ』はハンガリー国内の18の異なるロケーションで撮影されています。『ニーチェの馬』は基本的にはロケセットとして建てた田舎家と、その家のまわりで撮影をしました。ロケハンをしていたときに、盆地にある丘の上に1本だけさびしそうな木が立っているのを見つけて、その場所がいいと直感したのですね。そこに石材と木材をもちこんで、家を建ててもらった。その家の窓から、その木が見えるように窓の位置を決めました。『ニーチェの馬』で、そこまでしてとらえようとしたのは、何か普遍的なもの、本質的な何かでした。わたしたち映画人が理解しなくてはいけないことは、世界を理解すること、自然を理解すること、わたしたち人間がいかにして自然の一部であるのかを知ることです。どうしようもなく絶望的であるのは、人間以外のものではなく、まさに人間なのだということです。

舞台となっているハンガリー大平原を自分の視界におさめ、その時間と空間を体感するとき、わたしたちの人生がまさに時間と空間のなかで起きるものだと理解できます。自分にとって時間というものが重要なものになりました。たとえば、人生をどのように生きていくのか、日々を過ごしてどのように年を重ねていくのか、わたしたちはその時間をどんなふうに過ごすのか。つまり『サタンタンゴ』では、そのような時間を取りこんだ映画づくりをしなくてはならなかった。

人生というものの複雑さ、その全体像を映画の物語で描こうと思ったら、時間を無視することはできない。それと同様に、風景もまた重要です。風景も自然の一部です。『サタンタンゴ』や『ニーチェの馬』には動物たちが登場しますし、わたしたち人間もまた、動物たちとともに、風景という自然を構成する一部なのです。ハンガリー大平原にいると、そのような感覚を自分の身体の内側に感じます。物事が永遠に終わらないのではないかという感覚です。平原を何週間歩いたとしても、誰にも何にも出会わないのではないかと思えてしまう。そのような場所なのです。そこで感じるのは、もう何も永遠に変わらないのではないかという感覚。ただ毎日、時間がどんどん過ぎ去っていき、ずっと同じような状態がつづく。『サタンタンゴ』は、そういった人生、そういった人びとを描いた作品ですから、時間、風景、そして人間の存在を含めなくてはなりませんでした。それは洗練された問いではなく、非常に実用的な問いです。その場所において、時間や風景の感覚をしっかりととらえなくてはいけない。わたしたちは誰もが時間や風景の一部であるわけで、それは地球上のどこに住んでいようと変わらないのです

金子　なるほど。『サタンタンゴ』や『ニーチェの馬』という映画の背後にある監督の哲学が段々わかってきました。それを実現するために厳格な演出法、厳格なカメラワークを駆使しているのですね。

タル　ただ、そうやって題材と格闘している時間というのは、とても興味深い時間だといえます。キャスティングをするとき、上手な俳優というよりも、強い個性をもった人を採用しています。撮影に入ると、わたしは俳優に一切の演技をさせません。演技というものを一切求めません。俳優は演ずることを許されません。人間がただそこに存在してほしい。俳優が何かを演じているなと感じたら、「それは素晴らしいことだが、この作品には合わない」といい渡します。わたしの映画では、俳優は彼ら／彼女たち自身の奥からでてくる深いものを表現します。彼ら／彼女たち

はその場所で本当に反応し、お互いに耳を澄ませ、リアクションを起こさなくてはならないのです。そうならないときは、撮影を中断して、次のテイクを撮ることにします。例外は『サタンタンゴ』でいえば、イリミアーシュが葬儀で演説する場面と、彼が永遠について語る場面です。そこは事前に決めたセリフを話してもらっています。

とても難しいのは、演者たちのなかから湧いてくる自然発生的なものを大切にしつつ、どのようにして映像としての端正な構図や正しいカメラワークをとり、そのバランスを保つかです。なぜなら、映画カメラはどうやって撮るかを学ぶために一定の時間を要するからです。俳優がリハーサルをくり返して何度も同じことを演じると、自然発生的な要素が失われてしまう。それは、わたしの好むところではない。なので、完全に撮影の準備ができるまで、俳優を現場には呼びません。むろん、リハーサルは一切しません。唯一おこなうのは、俳優のブロッキング、どこに移動してどこに立ち、次にどこに行くかという動きだけを確認してもらいます。

スタッフも俳優も、コレオグラフィ（振り付け）をすべて把握してから、いざ撮影に入る。そして、目の前で撮影がおこなわれるとき、それがよいショットかどうか、ファインダーをのぞかなくても感覚でわかります。目の前で起きていることに耳をちゃんと傾けているからです。カメラがまわりはじめて、カメラ、照明、録音などすべてのスタッフ、すべてのキャスト、そして自分の呼吸が1つになり、同じリズムになることが望ましい。その瞬間、ある種の緊張が走ります。そのような緊張感がなくては、ショットは退屈なものになるでしょう。そうやって、みなが同じ呼吸になったときこそ、みながそこに存在するのです。それが、映画を撮影することなのだと思います。

金子　ありがとうございました。すばらしいインタビューになりました。

タル　だけど、あなたはまだ映画を撮ること、演出することの秘密にたどり着いていませんよね、大丈夫ですか（笑）。

タル・ベーラ監督の『ニーチェの馬』を観てると、ジャガイモしか食べてない…しかもゆでてるだけで、後半はほぼ食べないし…

そこで気になる!!

ハンガリーのジャガイモレシピ

グヤーシュ（Guliyás）

なんと、ハンガリー料理の中でも最も有名なんだとか!!

グヤーシュとは、牛飼いを意味していて、牛肉とじゃがいもと、数種の野菜を煮込んだもので、**パプリカ**で色が赤くなっているんだとか!!

そう、ハンガリー料理には**パプリカ**が沢山使われるんだそう!!

牛肉を一口大にカット、ニンニク、野菜をよく炒め、パプリカパウダーを混ぜ、その中に肉を入れ、トマトや水、ハーブを入れて、煮込み塩コショウを入れましょう!!

ラコットクルンプリ（Rakott krumpli）

じゃがいもの重ね焼きだそうです!!

バターを塗った容器に、スライスしたじゃがいも、ゆで卵、サラミを重ね重ねて、最後に生クリームとサワークリームの混合をかけます!!

あとはオーブン（200℃）で20～30分焼くだけ!!

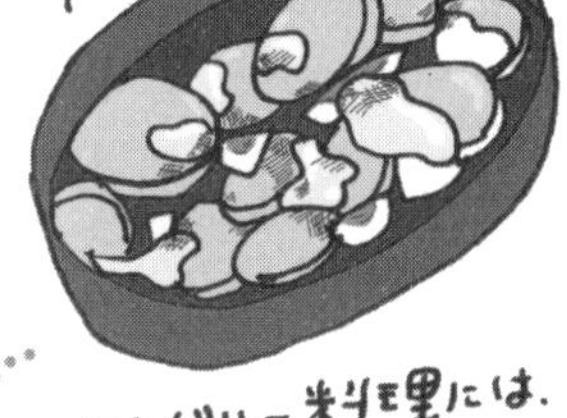

ハンガリー料理には、サワークリームも結構使われるんだって!!

⑦カフカースに響く人間讃歌——オタール・イオセリアーニとの対話［ジョージア］

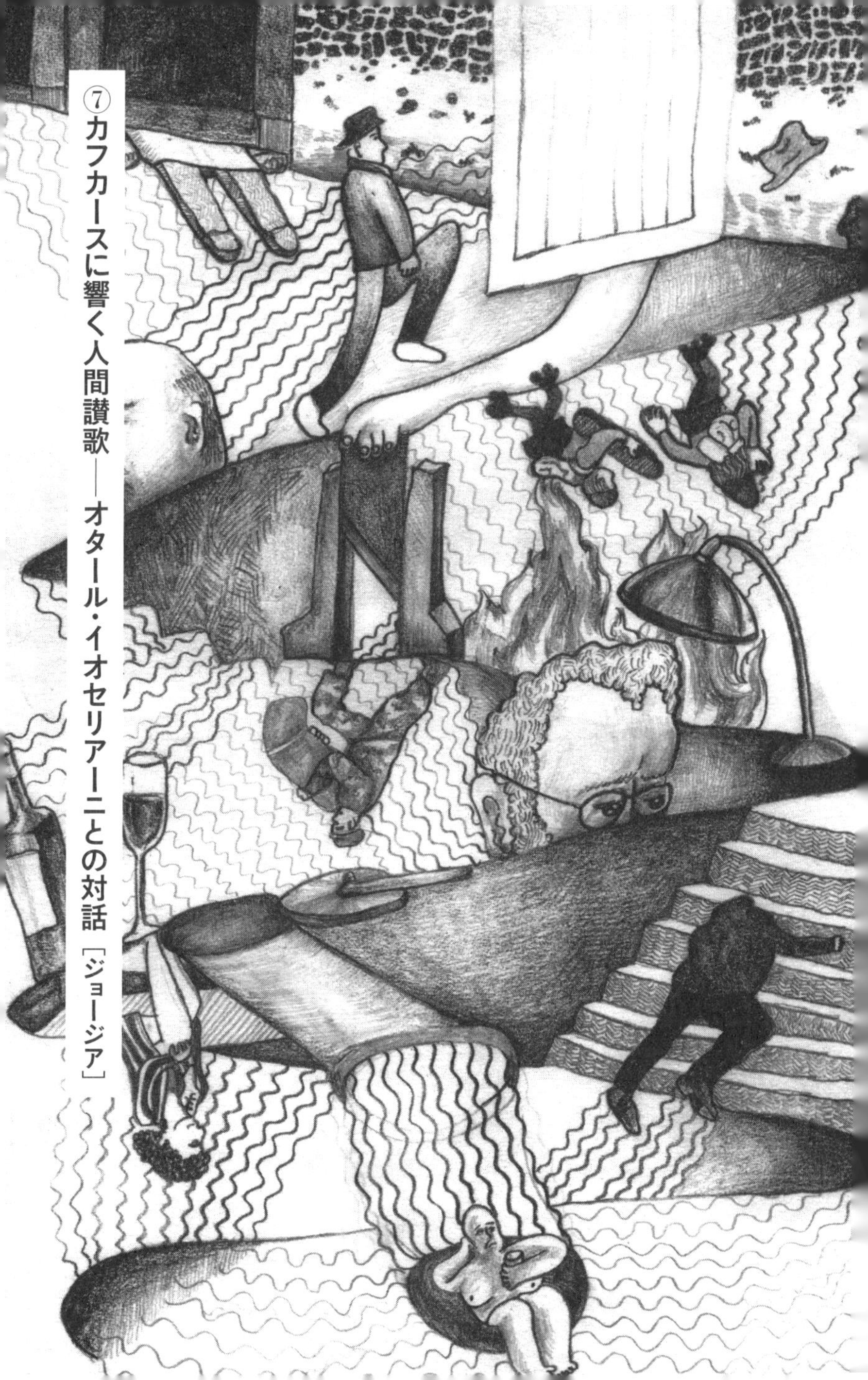

オタール・イオセリアーニ（1934年生まれ）は、ジョージア（グルジア）時代の1960年代初頭から、50年以上にわたって映画を発表しつづける世界的な巨匠である。『落葉』（1966年）や『歌うつぐみがおりました』（1970年）など、ジョージア時代の4作品はソ連当局から上映禁止処分になった。1979年以降はパリに移住し、フランスを拠点に映画を撮りつづけ、『素敵な歌と舟はゆく』（1999年）や『月曜日に乾杯！』（2002年）といった人間讃歌の作品で人気を集めている。『汽車はふたたび故郷へ』（2010年）では、ソ連時代の検閲の問題を取りあげ、『皆さま、ごきげんよう』（2015年）では、ジョージアの内戦やヨーロッパの移民問題を描いている。

亡命の映画作家として

金子遊　『汽車はふたたび故郷へ』（2010年）では、ジョージア国内で映画を撮っていた青年がソ連中央の検閲に辟易とし、パリへ亡命する姿が描かれています。自伝的な物語であり、イオセリアーニ監督自身も1979年にパリへ移住しています。『歌うつぐみがおりました』（1970年）や『田園詩』（1975年）までの、あなたの映画に対する当局の検閲と、あなたが実人生でパリへ移住、または政治亡命した経緯を話していただけないでしょうか。

オタール・イオセリアーニ　わたしは検閲するソ連当局側に対して、いろいろと意地悪をして困らせました。冷酷なほどの検閲を受けましたが、検閲する側の人たちも人間です。自分たちの検閲に対して、簡単にいうことを聞いて規則を受け入れる人間に対して、まったく敬意を払わなかった。当局は注意深くわたしのことを監視し、彼らに対して譲歩するかどうかうかがっていました。

国家が予算をだして映画をつくっていたのですが、わたしの映画はかならずしも反ソ連的ではありませんでした。そんなことは不可能なのです。『歌うつぐみがおりました』など、わたしのジョージア時代の映画は、ソ連が不在の非ソ連的な映画だったといえます。まるで、それまでソ連が存在しなかったかのような映画をつくっていた。当局の人たちも、わたしが映画を完成させる可能性を与えてくれました。でも、映画が完成したときには上映禁止になると確信をもっていた。その映画が30年後や40年後の世界で復活することを、彼らも理解していたのでしょう。

当局による検閲は、わたしや同僚の映画人たちにとって、誠実で正直であるかどうか試される試練の場でした。当局の人たちは、生き延びるために嘘をついて、屈服する人たちを嫌っていた。彼らが好んだのは、ゲオルギー・シェンゲラーヤ、アンドレイ・タルコフスキー、グリゴーリ・チュフライらの映画です。ゴルバチョフが政権をとったとき、ソ連の過去のできごとをあつかう映画の製作が許可されるようになった。しかし、わたしたちはニヤニヤしていた。なぜなら、それ以前からそれは可能なことだったから。自分の映画がソ連で上映禁止になると、人びとから尊敬されます。むろん実生活の面では悲惨でした。自分がした仕事に対して、給与が支払われることはありませんでした。

金子　あなたの映画には、アンドレイ・タルコフスキーがイタリアで『ノスタルジア』を、スウェーデンで『サクリファイス』を撮ったように、旧ソ連から亡命した映画作家の映画という面がありますよね。ところが『汽車はふたたび故郷へ』がおもしろいのは、主人公の映画作家がジョージアからヨーロッパへ移住して、そこで映画を撮っていると、今度は当局の検閲ではなく、プロデューサーたちがお金や興行という面から、監督にいろいろと口をだしてくる。どこへいっても、それほど変わらないわけです。それで、またジョージアへノコノコと戻ってきてしまう（笑）。

イオセリアーニ　ええ。そのときの顚末をお話ししましょう。あの時代、アンドレイ・コンチャロフスキーやニキータ・ミハルコフ、そのほかの映画監督たちは、ソ連の共産主義を讃える映画をつくっており、ジョージアにもそうした若者たちが多くいました。わたしの映画は『四月』（1961年）からはじまって、4本連続で上映禁止になった。まわりの人たちは「もうこれで十分だろう。外国へいきなさい」といい、出発を余儀なくされた。しかし、これは1つの罠でした。当局はわたしがいったん外国へいって映画を撮れば、そこで暮らすようになり、二度と戻ってこないだろうと考え、厄介者を体よく追いだした形になったからです。わたしはフランスで『月の寵児たち』（1984年）を撮り、それから何本か短編映画をつくりました。その後、フランスにとどまるかわりに、またジョージアに帰ってきました。映画の世界で権威的な地位についていた人たちは、わたしが戻ってきたのを見て歯ぎしりをした。彼らがわた

オタール・イオセリアーニ監督

しの立場であったら、みんなフランスにとどまったことでしょうね。

わたしがジョージアにもどったとき、ペレストロイカの時代がはじまりました。映画はもはやプロパガンダである必要がなくなり、そのために政府から補助金がおりることもなくなった。すべての撮影所が実質的には閉鎖状態に陥りました。モスフィルムの撮影所でも、ジョージアの撮影所でも、中庭にお腹をすかせた野良犬が走っているだけ、という光景になったのです。わたしは映画を撮りつづけたいと思ったので、フランスに戻りました。そこで撮った作品が『そして光ありき』（１９８９年）です。それから、ふたたび映画が存在しなくなっている旧ソ連にもどりました。その後またフランスに戻り、『蝶採り』（１９９２年）という作品を撮りました。現在、映画製作のための資金を国家から引きだせるのは、プーチン大統領に奉仕している人たちだけです。あまり尊敬できることではないが、ニキータ・ミハルコフはプーチンの親友になりました。彼の父親は、ロシア国歌を作詞した人です。共産主義時代の貴族だったといっていいでしょう。

わたしのほかにもうひとり、旧ソ連で正直だった映画人がいます。『灰色の狼』（１９７４年）や『白い豹の影』（１９８４年）を撮った、キルギスのトロムーシュ・オケーエフ監督です。ジョージアとキルギスはとても離れていますが、わたしたちは友人でした。トルコへいったときに驚いたのは、オケーエフが在トルコのキルギス大使になっていたこと。「君がジョージア人でないのが残念だ。そうであれば映画が撮りつづけられたのに。あるいは外国語がしゃべれれば、外国で映画を撮ることもできたはずだ」とわたしはいいました。すると、オケーエフは「だけど、わたしはトルコ語を話すことができる。トルコには映画がないから仕方ないな」といいました。オケーエフはすばらしい映画を2本残して、55歳で亡くなりました。

『皆さま、ごきげんよう』
© Pastorale Productions- Studio 99

現代の戦争を描く

金子　イオセリアーニ監督の映画は、人びとがどんな厳しい環境におかれたとしても、ユーモアをもって大らかに生きることの大切さを描いていると思います。ところが『皆さま、ごきげんよう』（2015年）には、多くの死が描かれており、画面から悲痛さが伝わってきます。何か最近、心境や作風の変化というものがあったのでしょうか。

イオセリアーニ　わたしがジョージアで撮影したシーンでは、兵隊が亡くなり、蜂起した人たちが次々と死んでいきますが、それは戦争をカリカチュアしたものです。勝利した兵隊たちは女性をレイプしますが、それは年をとった女性です。マカロニを食べて、絨毯やマットレスなど役に立たないものばかりを盗みます。つまり、勝った方の兵士たちも飢えていたわけで、あまりおもしろいことはないわけです。

その後、兵士たちはきちんと整列して川のなかで神父から洗礼を受けます。そして自分たちがいた場所に火を放ち、立ち去っていきます。次にはじまる現代のパリを描いたシークエンスは、いうなれば、現代社会における戦争を描いたものだといえます。人間社会は矛盾に満ちています。感じのよい泥棒がいれば、意地悪な警官もいます。感じのよい浮浪者たちがいて、年老いた人たちの若い頃の恋愛の物語が語られます。『皆さま、ごきげんよう』は、そのような映画になっています。

金子　『皆さま、ごきげんよう』は、フランス語の原題が「冬の歌」というジョージアの民謡からきているということですね。映画のなかでも、聖歌だったりシャンソンだったり、音楽自体が物語を語っているようなところがあります。音響や音楽を緻密に設計していると思うのですが、監督の演出意図などを教えてください。

イオセリアーニ　わたしにとっては、映画は字幕なしでもわかるものでなくてはならない。人間が口を開いたとしても、そこからは大したものはでてきません。そこからでてくるのは、その人間の実存が奏でる音楽にすぎません。わたしが好きなのは、雰囲気や雑音です。ときには映画のなかのノイズを強調します。それから、フレームのなかの映像ではわからないけれど、フレーム外で何か音が鳴っているというのを観る人に気がつかせることが、とても好きなのです。しかし、音楽そのものに関していえば、フレームのなかのどこからその音楽が響いているのか、見えてなくてはならない。

『皆さま、ごきげんよう』では、盗むべきものをすべて盗んだあと、兵士が廃墟のなかで盗んだピアノにむかって演奏しているシーンがあります。そのまわりをほかの兵士たちが取りかこんでいる。そして、罪を犯した兵士たちに聖職者が洗礼を与えるシーン。あそこでは、画面内でテープレコーダーを示していて、そこからグレゴリオ聖歌が流れてきます。それから、レコードをかけるグラモフォンが登場します。かつて恋人同士だった老人ふたりが、悲しそうにレコードを聴いているシーン。あそこでも音源を示しています。グラモフォンからでている音楽を電話越しに聞くシーンもあります。わたしの映画の場合、どこともつかない空から音楽が鳴り響くことはありません。現代のテレビやアメリカ映画とは、音楽のつかい方が異なるといえるでしょう。ですから、音楽も映画のなかの1つの要素であり、それがどこから来るのか見えていなければならない。わたしにとっては言葉も、音楽も、雑音も、等しく映画の一要素なのです。

『皆さま、ごきげんよう』

金子　現代の娯楽的なアメリカ映画とはちがって、アンドレ・バザンのリアリズムや、ヌーヴェルヴァーグの作家たちが、音楽についてとった姿勢と共通のものを感じます。

イオセリアーニ　普通に映画を撮る力がない映画監督の場合、その映像に重厚さをもたせるために音楽をつかいます。(唐突に歌いだして)パパパパーン、パン、パパパパーン、パン、パパパパーン、パンパ、パンパン……。フランシス＝フォード・コッポラの『地獄の黙示録』（1979年）という映画で、米軍のヘリコプターが、ジャングルでベトナムの人たちに爆撃を浴びせかける有名なシーンがありますね。ヘリコプターのエンジン音を響かせるだけで十分なのに、彼はそこにワーグナーの「ワルキューレ」をかぶせました。

わたしはコッポラの家に招かれたことがあります。彼はすばらしいワインセラーをもっていて、そこにはたくさんのワイン樽があって、フランシス・コッポラという銘柄のワインがあります。その階上には録音スタジオがある。わたしはコッポラに「フランシス、君は知っているかわからないけど、ワインは音が大嫌いなんだよ。ワインがイライラするとおいしくなくなるんだ」といいました。

たとえば、ワインは女性の生理が苦手で、ジョージアのワイン醸造所では、女性の従業員はその時期は働かないようにしています。樽がおいてある場所では、音を立てないように底がフェルトの靴を履いて歩きます。それからタバコも苦手です。なのに、コッポラはものすごい音のでる録音スタジオの下で、葉巻をくゆらし、ワインセラーに入っていく。背が低いので、かかとの高い靴を履いています。その靴でカツカツ音を響かせながら、ワインセラーのなかを歩いている。そして、自分の名前のついたワインボトルをわたしにくれました。何といえばいいのでしょう？それがアメリカ人というものですから。

（通訳＝福崎裕子）

ワイン好きは知っている!?

ジョージア(グルジア)ワインとは!?

ワイン発祥の地、ジョージア!!
古来シルクロードの要所として栄えた、南コーカサス地方に位置しています。

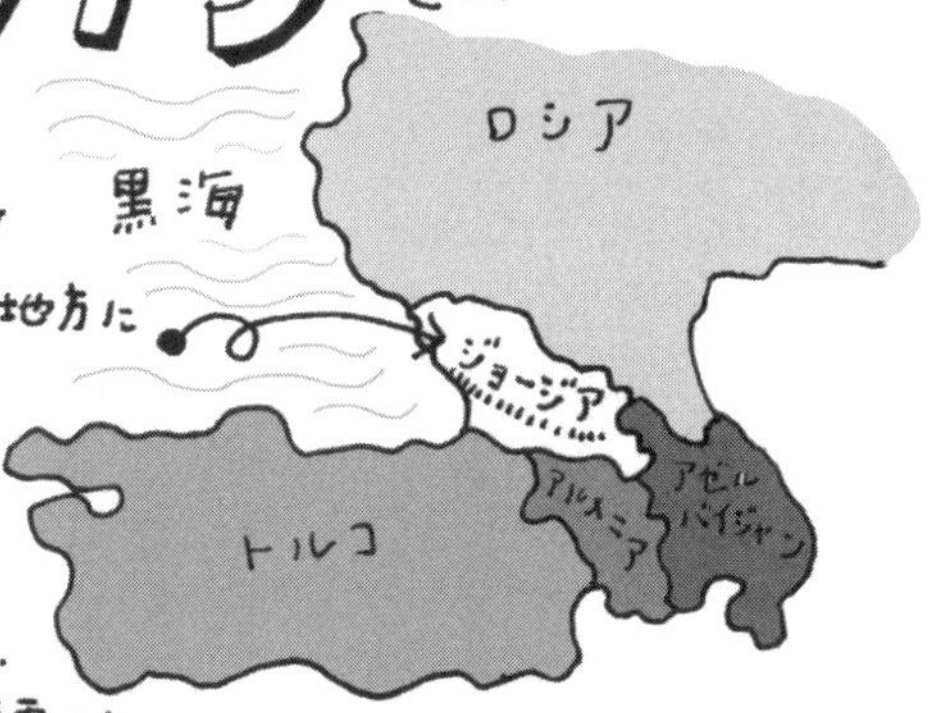

1991年にソビエト連邦から独立し、日本では2015年にロシア読みの「グルジア」から、英語読みの「ジョージア」に変更しました。

クヴェヴリって何?

近年注目されているらしい「クヴェヴリ」による独自の醸造法!!

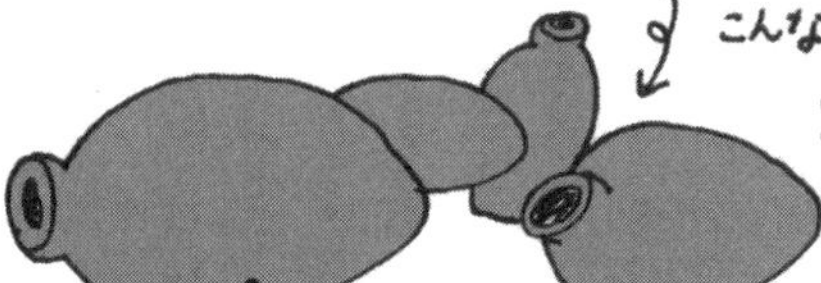

こんな粘土でできた素焼きの卵型の壺の内側に、綺麗に保つため蜜蝋でコーティング。

この中に、ブドウを「サツナヘリ」と呼ばれる木製の桶の中で踏み潰し、果皮、果肉、果梗、種、果汁を入れる!! そして、発酵・熟成していくんだとか。

とっても手間がかかるらしい…

そして、陶器ボトルのデザインがかわいい!!

ネットで調べるともっといっぱい出てくるよ!!
思わず買いたくなる…

⑧キルギスの伝統と近代化——アクタン・アリム・クバトとの対話 ［キルギス］

キルギスは天山山脈とその周囲に広がる高原からなる、中央アジアの人口600万人ほどの国である。そのなかでキルギス人は約300万人といわれる。名匠アクタン・アリム・クバト（1957年生まれ）は世界で知られているキルギス人の映画監督で、これまで5本の長編劇映画を手がけている。最初の『あの娘と自転車に乗って』（1998年）と、第二作『旅立ちの汽笛』（2001年）、それに『明りを灯す人』（2010年）は日本でも劇場公開された。『馬を放つ』（2017年）は、監督みずからが主演をつとめ、文化的アイデンティティを失いつつあるキルギスの現代社会に問いを投げかけた。これまでの映画人生と『馬を放つ』に込めたテーマについて語っていただいた。

映画監督になるまで

金子遊　映画監督になるまでの人生を簡単に教えていただけますか。

アクタン・アリム・クバト　わたしはキルギスのキントゥーという小さな村に生まれ、ごく普通の子どもでした。ただ絵を描くのが好きで、小さな頃から落書きばかりしていたので、同級生たちからは「将来は絵描きになるのではないか」といわれていた。ビシュケク美術専門学校を卒業したあとに、若い頃はプロダクション・デザイナーとして働いていました。たまたま映画撮影所のデザインの仕事をするようになり、映画の現場で美術監督をやるところまでいった。ところが、キルギスでつくられている映画にはあまりよい作品がないという不満があったので、１９９０年に自分で短編のドキュメンタリー『ドッグ・ワズ・ランニング』を撮ったのが、監督としてのキャリアのはじまりです。

自分が映画監督になって映画を撮るようになったのには、主に3つの影響があります。1つ目は『あの娘と自転車に乗って』にも詳しく描いていますが、自分が家族のなかで養子であったこと。2つ目は、自分の容姿がどちらかといえば「不細工」であったということ。3つ目は、兄が不良っぽい若者だったことです。幼少の頃から、これら3つのコンプレックスを抱えていることが自分にとって大問題でした。反対にいうと、そのコンプレックスをバネにして美術の世界に入り、クリエイティブな仕事をしたいと願い、またそれを実現してきた半生だったといえます。おそらく別の世界でも作家やアーティストと呼ばれる人たちの仕事の裏には、そのようなコンプレックスの問題があるのではないか。自己満足することがないから、まわりを批判的・批評的に見る目が養われて、それによって自己を成長・発展させていくという面があったのでしょうね。

金子　若い頃に影響を受けた画家とか、映画監督はいるのですか？

クバト　誰かひとりの画家の名前をあげることはできないのですが、印象派の画家たちからは強い影響を受けました。映像の撮り方、空間のつくり方、人物の描き方などを参考にしてきました。わたしの映画を観た専門家たちのなかからも、何度か「印象派に近い映画作家である」という指摘を受けたことがあります。印象派の画家の特徴として、空気を描くことと、原色を好んでつかうということがあげられるでしょう。それから、自分のまわりにある自然というものを、そのままリアリズムで再現するのではなく、自分が自然の風景から受けた印象を表現するという手法ですね。

わたしのような映画監督もそれと似ていて、自分自身の人生そのものを映画で描こうというふうには思わないのです。自分の人生に影響を与えたものとの関係性をこそ表現しようとします。それから、自然の風景の空気感や風が好きなので、わたしはほとんどセットはつかわずに、ロケで自然を撮影することを好みます。目に見えない風を映像で描くためには、印象派的な息吹をそこに吹きこむことが必要になってくる。わたしはそのようにしようと努力しますが、映画を観てくれる観客の人がそのような印象を受けるかどうかは、また別の問題になりますね（笑）。

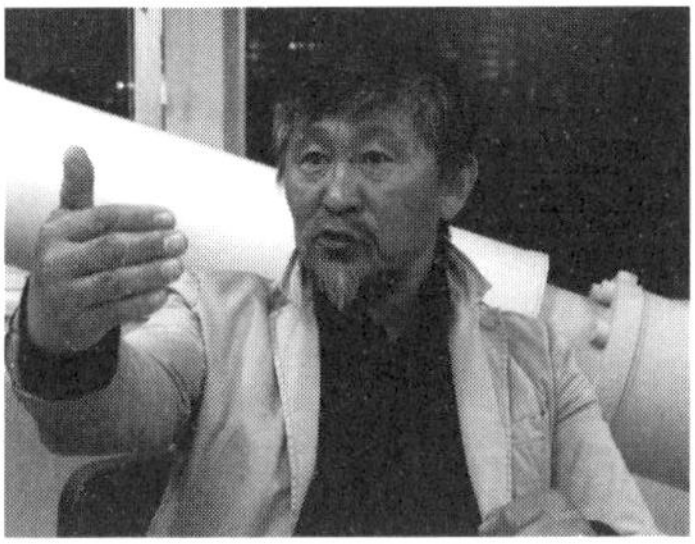

アクタン・アリム・クバト監督

『あの娘と自転車に乗って』『旅立ちの汽笛』

金子　最初の長編劇映画となった『あの娘と自転車に乗って』についてお聞きしたいのですが、まさに監督自身のように、もらわれてきた養子の男の子が主人公ですね。村ではいろいろな悪い噂もされたり、同年輩の女の子と恋に落ちたり、少年の多感な時期における複雑な心理を描いていますが、あの物語をどのように発想したのでしょうか。

クバト　まず、わたし自身の話になりますが、自分が養子であるとわかったときには大変ショックを受けました。「生きている人間の子どもをどうして物みたいにあげたりもらったりできるのか」「生みの親にそんなに嫌われてしまったのか」とものすごく悩みました。いま振り返ってみると、自分の運命として、『あの娘と自転車に乗って』という作品を撮り、映画監督になるためには、養子になるという不幸が自分の人生にとっては必要だったのだと思えます。年をとってから考えると、養子もそれほど悪くないことだと思うようになりました。ある家庭には子どもがあふれるほどいて、ほかの親戚の家庭には子どもがひとりもいない。どのみちキルギス人の親戚は固い絆でつながっているので、育ての親が誰になってもよいのではないか、と。そのようにずっと自分の境遇について考えてきたことが、この映画の物語の源泉になっています。

金子　最初のシーンで、村の女性たちが「赤ん坊が健やかに育つように」と呪術的な儀式をしますね。この映画のなかには、キルギスの村の伝統的な慣習が描かれていますが、これは監督の少年時代の記憶からきているのでしょうか。

クバト　大都会はだいぶ変化していますが、キルギスの田舎の生活は昔からそれほど変わっていなかった。子どもの頃から、さまざまな儀式や慣習などを見ながら育ちました。ところが、やはり少しずつこのような伝統文化が失われてきているという実感があり、それが、わたしが映画をつくることの動機になっていますね。

金子　『旅立ちの汽笛』では、青春時代を描いていますね。先ほどお兄さんが不良だったというお話もでましたが、高校を卒業してからソ連の軍隊に入るまでの時期をあつかった物語です。パーティではツイストを踊ったり、主人公が白人の女の子と恋に落ちたり、キルギス人とロシア人が混在して暮らしている情景が印象的でした。キルギスのロシア化の問題もあるのかと想像されますが。

クバト　そうですね。『あの娘と自転車に乗って』では、キルギスの田舎における伝統的な生活や習慣について語ろうとしました。ですが、実際にわたしが生まれ育った時代は、ソビエト連邦の時代であり、キルギスはソ連のなかの1つの共和国でした。ですから、最初の作品とは対照的に『旅立ちの汽笛』では、そのような自分が経験してきたソ連時代の歴史について語りたいと思いました。自分の故郷の、自分の国の異なる側面を物語化しようとしたわけです。主人公はわたしの分身です。そして、実生活では兄が不良だったわけですが、この映画のなかではそれを出来の悪い父親像に仮託しました。主人公が10代後半で、父親が中年ですから年の差もできて、その方がストーリーとして語りやすかった。この映画はかなり自伝的な作品になっています。

『旅立ちの汽笛』では、キルギスの独自の文化的要素はほとんど見られません。ソ連の時代にはこのようにキルギスの文化は抑

『旅立ちの汽笛』

『あの娘と自転車に乗って』

えこまれていました。キルギス人の文化的なアイデンティティの象徴であるカルパック（キルギスの帽子）も含めて、よほどの大行事でもないかぎり、ソ連時代には民族衣裳を着ることすらできなかった。教育が無料だったりよい面もありましたが、その時代にキルギスの民族的なものがすべて失われました。わたしが「不細工」というのは、容姿の問題だけではなく、そのようにキルギス人としての文化や伝統を何ももっていないという意味で「不細工」といっているのです。この映画に見られるように、ソ連化やロシア化をしていくなかで、キルギス人たちは酒を飲み、タバコを吸い、ディスコで踊るといった悪癖ばかり身につけていった。そこには精神的な文化が何もありません。そんな空虚さを描こうとしたのですね。

『馬を放つ』

金子　最新作についてお訊ねします。『馬を放つ』の主人公であるケンタウロスという中年男性は、現代のキルギス社会において時代を逆行するような人物ですね。キルギスの古い伝説を信じていたり、夜な夜な馬を解放するために盗みに入ったり。どうしてこのような登場人物を中心に据えたのでしょうか。

クバト　ケンタウロスは自分たちキルギス人の民族としての記憶、わたしたちがたどってきた過去の歴史を忘れてはならないと考えています。とはいっても、過去のなかだけに生きている人間ではありません。むしろ民族の未来を先取りしようとしている人といってもいい。未来のためには、過去のできごとをきちんと伝えなくてはいけない、過去の世代から現代の世代へ、現代の世代から未来の世代へと継承していかなくてはいけないと思っている。キルギス人は300万人しかいないので、もし地球上から消滅しても誰も気づかないかもしれない。けれど、わたし個人にとってはかけがえのない民族であり、何とか伝統文化を残していきたいと思っています。ケンタウロスも同じように考えているのでしょう。

金子　『馬を放つ』のなかでは地元の権力者がイスラムに傾倒したり、主人公のケンタウロスがモスクでイスラム化に異を唱えるような行動にでますね。

クバト　ソビエト連邦が崩壊してキルギス共和国が独立してから、すでに26、7年が経っています。たった300万人しかいないキルギス人の哀しみ、600万人程度しかいない小国の哀しみなのかもしれませんが、それでロシア化をまぬがれたと安心していたら、今度はアラブ人がやってきてイスラムの宗教や文化を広めています。今度はキルギス社会のアラブ化が問題になってきている。人びとがどんな宗教を信奉してもそれは自由だと思いますが、ロシア人にしてもアラブ人にしても、どうして外国にやってきて自分たちの影響力を拡大しようとするのでしょうね。これは理解できないことです。

　わたしたちにはキルギス語という母語があるのにもかかわらず、

『馬を放つ』
（写真提供：ビターズ・エンド）

イスラムのお祈りや神と対話するためにはアラビア語をつかわなくてはなりません。それに対してケンタウロスは違和感をもっている。いったい彼はどうしたらよいのでしょうか。政治家に苦情を申し立てればよいのか。しかし、政治家は選挙になれば人気取りに走るので、地元経済の有力者やイスラムの宗教的な権威とつながっている。政治、経済、宗教の権力は裏で1つになっているわけです。わたしは映画監督ですから、そのような自分が感じた違和感を、映像と物語を通して伝えるというのが自分の仕事だと思っています。

金子　キルギスの外側から入ってくる外国文化に対して、ケンタウロスが自分の民族的なアイデンティティを目覚めさせていく過程が心を打ちます。

クバト　ケンタウロスは平和的な人間なので、その抵抗のあり方はせいぜい騎馬遊牧民の象徴である馬を馬屋から放つといった、とても静かなものです。彼は力ずくで何かをなそうとしても、うまくいかないことを知っている。ひとりの一般市民として、キルギス人としてのルーツや文化的アイデンティティのために、静かにプロテストをしながら悩んでいる。しかし、現実社会では、グローバル化のなかで経済的な豊かさを享受することに夢中になり、そのようなことを全然考えていないキルギス人もたくさんいます。

「ケンタウロス」は人間と馬が混血した神話上の人物ですね。わたしがいまのキルギス人を見て頭にくるのは、彼らは人間でもないし、馬などの動物ですらないことです。単なる消費者にすぎず、お金さえあれば、食べるものさえあれば、それで満足している。それではよくないと思いま

キルギスの伝統的な帽子

カルパック

(kalpak)

明り屋さんや村の長老たちがかぶっている帽子

羊毛で作られていて、寒さからも、暑さからも頭を守ってくれるんだとか!!!

若者はあまりかぶらなくなっているそうです…

男性がかぶる帽子だよ!!

キルギスの伝統的な模様

オイモ

(OЙMO)

(え!?オイモ!?)

キルギス語でオイモは模様という意味で、お芋じゃないよ!!

動物や植物、太陽や水、生活で使う道具などをモチーフにした模様なんだってさ!!

ちなみに女性は?

古代テュルク遊牧社会では、女性が宗教的慣行において最高位を占めていたこともあり、高い地位を占めていたんだけど、クバト監督の『馬を放つ』でもあったように、イスラム文化が入ってきて、顔を覆うスカーフを身につけるようになったとか…!! だけど、中東のニカブとは違い、明るくカラフルなんだってさ!! オイモ柄はあるのかな!?

す。わたしは消費する人間ではなく、記憶でも歴史でも文化でも物語でもよいのですが、何かを抱える側の人間でありたいと常に思っているのです。

⑨動乱の中近東を見つめる――モフセン・マフマルバフとの対話

［イラン&アフガニスタン］

モフセン・マフマルバフ（1957年生まれ）は、『サイクリスト』（1989年）、『パンと植木鉢』（1996年）、『カンダハール』（2001年）といった作品で知られるイラン映画の巨匠である。同時に多くの著書を書き、マフマルバフ・フィルムハウスでは友人や知人や家族に映画教育をおこない、多くのつくり手を輩出している。近年の『庭師』（2012年）では、バハイ教徒というイランの少数者に光をあてて、『独裁者と小さな孫』（2014年）では、クーデターで権力から失墜する独裁者の物語を、ジョージアをロケ地にして撮りあげた。イランから周辺国まで対象を広げる巨匠は、いったいどのような考えをもっているのか。

イランの検閲、アラブの春

金子遊　「東京フィルメックス２０１３」の審査員のひとり、イン・リャン監督が中国の検閲の問題で来日できませんでした。開会式でもそのことを話されていましたが、現在イランの検閲はどのような状況になっているとお考えですか？

モフセン・マフマルバフ　アフマディネジャド前大統領が在任していた8年間は、特に映画や芸術作品に対して検閲が厳しい時代でした。イランの歴史のなかで一番だったといえるのかもしれません。映画監督が映画をつくることを認めず、刑務所に入れたり、処刑すると脅されたりすることもありました。そのような状況でしたから海外に亡命する監督もいました。いまはロウハニ大統領に代わっているので、少しは希望が湧いてきています。

金子　２０１０年から、いわゆる「アラブの春」と呼ばれる反政府、民主化要求の動乱がチュニジアに端を発してはじまりました。イランでは大きな動きはなかったように見受けられるのですが、監督は一連の民主化要求の動きをどのように注視していらっしゃいましたか？　また、その結果発生したシリアの内戦において、イラン政府はアサド政権を支持しています。そのことに関して、何かご意見はおもちですか？

マフマルバフ　「アラブの春」というのは国によって状況がまったくちがいます。どこかの国にとっては春でも、ほかの国にとっては冬だったり、夏だったりする。それをみなまとめて「アラブの春」というのは大きな間違いだと思います。イランでも１９７９年に革命がおき、新しい政権が誕生しましたが、いまでは国民はみなその体制を嫌がっています。そういうことを経験しているので、「アラブの春」はイランから見ると、30年前のわたしたちに戻ってしまったかのようにも思えます。

リビアで革命がおきたとき、暴動が激しくなって、たくさんの人が殺されました。最終的に独裁者のカダフィは殺害されました。その例を見ているのでシリアのアサド大統領は怖がって、政権はあのような残虐な振る舞いをしているのでしょう。なぜこのような悲惨なできごとがおきているのか？　「アラブの春」の負の側面をとらえることも必要です。わたしはイラン人として、イラン政府がアサド政権を支持していることを恥ずかしく思います。シリアにイランの兵士を送っているのはとても悲しいことですし、すぐに撤退してほしいです。

シリア内戦の問題にはさまざまな要因が絡んでいますが、一番大きい問題は、わたしたちが他国の問題に無関心であるということです。これは芸術家の責任でもあります。誰が「シリアで2年間に10万人が殺された」ことについて、映画をつくったり、何かを書いたりしたでしょうか。誰もしていないですよね。わたし自身もそのことに関してシナリオを書いて、プロデューサーにもち込んでみましたが、まったく相手にされませんでしたね。

小さな映画の役割

金子　『庭師』（2012年）と今回の『微笑み絶やさず』（2013年）は、息子のメイサムさんとマフマルバフ監督のふたりで、ハンディーなデジタル・ビデオカメラをつかって撮影するドキュメンタリーの手法をとっています。これは、いわゆる予算が大きくかかる劇映画の企画がなかなか通らないときに、ご自身の撮りたい題材を映像化するための手法なのでしょうか？

マフマルバフ　そうですね、それが主な理由です。残念ながら、どの国でも作家性の強いアート映画にお金をだしてくれる人はいません。その一方で、いまはデジタルカメラをつかえば鮮明な映像が簡単に撮れる時代になりました。また、本当に撮りたいものをそのときすぐに撮っておかないと、何カ月後かになっ

モフセン・マフマルバフ監督

て気持ちがどんどん冷めてしまうというモチベーションの低下の問題もあります。ですから、デジタル映像の場合、まずは思いついた題材を撮ってみて、あとでじっくりと考えてみようというのはあるのです。『微笑み絶やさず』は「釜山国際映画祭」のディレクターであるキム・ドンホさんのあり方を撮っておきたいと思ったので、ドキュメンタリーの手法で撮りました（キム・ドンホは２０１７年に理事長を辞任した）。この作品を何カ月も何年もかけて資金集めをしてから撮ろうとしたら、きっとこみ上げてくる気持ちはなくなっていたと思います。

金子　フリーランスのライターで、今回の対話の構成にも協力してくださった宇野由希子さんから何かありますか？

宇野由希子　『微笑み絶やさず』の上映後のQ＆Aで、監督は「アート系の映画を支援してくれる映画祭それ自体を、いままで誰も映画で描いてこなかった」というお話をされました。たしか監督の『カンダハール』（２００１年）のときも、「アフガニスタンの難民を誰も描いていないから、自分が製作した」とおっしゃっていました。映画の題材を選ぶときに、監督はまだ誰もカメラを向けていない対象を意識的に撮っているのでしょうか。

マフマルバフ　そのとおりです。映画の役割は、誰も気がついていないものをみなに見せること、みなが忘れてしまっていることをもう一度思い出させることだと思います。みながすでに見たり、話したりしていることを描くのは映画ではありませんし、つくる意味もないと思います。そのことは常に頭に入れて題材やテーマを選んでいます。たとえば『庭師』では、バハイ教というイランの宗教の信者たちの話を取り上げました。イランのなかではバハイについて誰もしゃべらないし、誰も書いていないのです。わたしはその忘れられている70万人の人たちのことを描こうと思いました。『カンダハール』のときの発想もそれと同じです。イランには300万人、アフガニスタンから逃れてきた難民の人たちがいます。誰がこの忘れられた人たちのことを話題にし、彼らについて語るのだろうかと思い、あの映画をつくりました。映画はそういうものであって、わたしたちはその役割を果たさないといけないと思います。

『微笑み絶やさず』
（写真提供：東京フィルメックス事務局）

政治的な映画、詩的な映画

宇野　マフマルバフ監督の『ギャベ』（1996年）、『サイレンス』（1998年）、『セックスと哲学』（2005年）は、とても色彩豊かに映像設計されており、映画の演出としても凝っています。そのような劇映画を撮るときと、ビデオ・ドキュメンタリーをつくるときにつかい分けていることはありますか？

マフマルバフ　あはは、わたしの映画のなかでも特にカラフルな映画の名前をだしましたね。わたしの映画づくりは、政治的・社会的な問題を描くものと、詩的な映画、哲学的な映画といった系統があります。『祝福された結婚』（1989年）や『カンダハール』のように社会や政治を説明しようとする映画もあれば、『愛の時間』（1991年）のように哲学的な映画もあり、『ギャベ』や『サイレンス』のような詩的な映画もあります。映画のテーマを何にするかというのが先に頭のなかにあり、どういう色づかいをするかがそのあとに決まります。

宇野　マフマルバフ監督は映画のほかに、著書を多く出版されていますね。著書『アフガニスタンの仏像は破壊されたのではない恥辱のあまり崩れ落ちたのだ』は日本語にも翻訳されています。文字で表現することと、映像で表現することには何か本質的なちがいはありますか？

マフマルバフ　わたしが本を書くときは、読者はひとりで自分の部屋に座り読むものだ、と想定して書いています。映画をつくるとき、相手は社会で、大勢の人びとです。描き方はおのずとちがってきます。本を書くときには深く掘り下げて書けるし、イメージを膨らませて書くことができます。映画のための脚本は、そのあと映像にしないといけないので、映像を文字にして書いているようなところがありますね。それは映像に縛られているような書き物になるので、その点は大きなちがいがあると思います。

宇野　監督は友人や知人、家族を対象にした映画学校「マフマルバフ・フィルムハウス」を主宰しています。そこから夫人や娘さんが映画監督としてデビューしていることは有名です。その学校では、詩を暗唱させる授業があると聞きました。詩というものを重視するのはなぜなのでしょうか？

マフマルバフ　「マフマルバフ・フィルムハウス」では、あるときは1日8時間のあいだ、ずっと詩を勉強するという方法をとっていました。そして、この3日間はこの詩人、次の3日間はこの詩人、というように詩人をひとりひとり勉強していきました。わたしはその詩を暗記してはいけない、といいました。なぜなら詩を暗記してしまうと、口先だけで覚えてしまうからです。そうではなくて、詩は自分のなかに染み込ませるものなのです。そして、ある詩人のすべての詩を読んだあとで、「普通の人びとの生活のなかに入ってみなさい。そこに詩を見つけなさい」という課題をだしました。

この広い世界では、政治的な目線をもって社会を見る人もいれば、宗教的な目線をもって社会を見る人もいます。しかし、詩的な目線をもって社会を見ることもできるのです。それを探してごらんなさい、といったのです。たとえば、このペットボトルの水をどうやって見るのか。詩的な目で見るのか、政治的な目で見るのか。詩的な目で見たとしたら何と書くのか。それを学校の学生たちに宿題としてだしていたのです。

金子　最後に次回作についておうかがいします。監督はジョージアへ行って、民主主義というものをテーマにした映画を撮影する予定（『独裁者と小さな孫』のこと）だそうですが、もう少し詳しく教えていただけないでしょうか。

マフマルバフ　はい。「デモクラシー」という大きなテーマで脚本を書いて作品をつくろうとしたところ、いろいろな障壁があり、映画の撮影ができる国が限られていることがわかりました。中近東はすべてダメでした。タジキスタン、ウズベキスタン、カザフスタンでも撮ることができない。ジョージアであればそのようなテーマの映画でも撮れそうな感触があるのですが、映画のなかではジョージアであるとわかるような地名をださないことにしました。つまり、舞台はどこでもない国になります。役者たちが話すダイアローグは英語になります。まだそれ以上のことは話せませんが、楽しみにお待ちください。

（通訳＝ショーレ・ゴルパリアン、構成＝宇野由希子）

マフマルバフ監督の
『カンダハール』で
印象深かった
女性のまとっている"ブルカ"
よく考えたら、イスラム圏の女性のまとっている布って
種類がいっぱいあるような…
そこで!! 開催いたします!!
イスラム・コレクション!
ブルカ
アフガニスタンで用いられている民族衣装。目の部分も網状で完全に隠れている!
ヒジャブ
スカーフのような布で頭髪を隠すもの。
→コレクションすべての事を言ったりもするよ!!
ジーパンに合わせたり、割とカジュアルな人をみかけるよね。
ニカブ
目だけ見せるもので、黒が多い
チャドル
イランに多い服装で、顔だけ出して、体全体を隠す!
パナヒ監督の『チャドルと生きる』という映画もぜひ!!
ヒマール
ヒジャブより隠す範囲が広がり、背中まで隠す
ヒラヒラしてエレガントかも!!

⑩イラン、映画監督一代記――アミール・ナデリとの対話［イラン］

アミール・ナデリ（1946年生まれ）は、イラン南部にあるアーバーダーン出身の映画監督である。テヘランでスチールカメラマンの仕事を経験したあと、1971年に監督デビューする。初期の『ハーモニカ』（1974年）や『駆ける少年』（1984年）で世界的に高い評価を得て、イランを代表する映画監督として知られるようになる。その後、アメリカに移住して映画を撮りつづけているが、黒澤明を中心に日本映画にも造詣が深く、『CUT』（2011年）では西島秀俊を主演に迎えて日本ロケを実現した。『山〈モンテ〉』（2016年）で、イタリアでのオールロケを敢行した巨匠に、映画人生とそこから滲みだしてくる自己のテーマについてうかがった。

映画監督になるまで

金子遊　映画監督になるまでの歩みをお話しいただけないでしょうか？

アミール・ナデリ　物心のついた幼い頃から、ペプシやファンタを飲みながら映画館にいることが当たり前でした。ですから、自分が何歳から映画館に通いはじめたのか、はっきりとした記憶はありません。劇場で人生の大半を過ごしていたのではないか、というくらい通い詰めていました。映写室に入ったり劇場で働く人たちと仲よくなったり、映画館ではいろいろなことがおきましたね。９歳までは映画館で掃除のアルバイトもしていた。イランでは9歳から学校にいって学びはじめるので、学校にあがる前から映画館でさまざまなことを学んでいたことになります。わたしの生まれ育ったアーバーダーンというイラン南部の街は非常に活発な街で、外国からの観光客も多く、外国映画も盛んに上映されていました。そういった街なので、映画も字幕なしでネイティブな外国語のまま観ていた。わたしは叔母に育てられたのですが、彼女が映画好きだったこともあり、いろいろとサポートしてくれましたね。

早い時期から映画というものが単に人を喜ばせるものではなく、何か異なるものだ、と認識していました。チャップリンが好きだったが、もう少し成長するとバスター・キートンを好きになっていった。そのときはまだ幼かったけれど、バスター・キートンのほうがしっかりと映画をつくっていると感じていたのです。幾多のジャンルの映画を観る機会に恵まれて、映画を観たあとで外にでていき、映画を観ることができなかった貧しい子どもたちに、いま観たばかりの映画を語って聞かせました。そのときに自分の気に入らないシーンはカットし、気に入ったシーンだけ引き伸ばして説明したりした。だから、そのときからまるで自分の頭のなかで映像を編集しているような感覚をおぼえていましたね。アルバイトをして、お金がたまるとすぐに映画を観にいってつかってしまうという生活でした。

学校は小学校までしかいっていません。学校における規則というものが非常に苦手だったのです。映画館や、映画の現場にいくととても自由を感じることができたので、学校は辞めてしまった。11歳のときに首都のテヘランにいきました。テヘランにいってからも小さなアルバイトはしていたが、最後には映画の製作会社に仕事を見つけることができた。そのときのわたしは製作会社の人たちから見ると非常に幼く、まだ少年でしたが、映画に関しての知識はすでに豊富に身につけていたので驚かれましたね。地方から来た幼い少年に、こんなにも映画の知識があるとは思ってもみなかったのではないか。そうやって、わたしのファンがどんどん増えていきました。

金子　何か映画と関係のあるアルバイトをしていたのですか？

ナデリ　写真屋でバイトをしていて、そこで写真技術を学ぶことができました。その経験を活かして、撮影現場で撮るようになってからは、バイトでかなりの写真を撮りましたね。幼いときから映画をずっと観ていたので、わたしの写真を見た人たちは、そこにおける視線の向け方がとても映画的だと評してくれた。写真家として注目されたのには理由がありました。普通の撮影では俳優にポーズをとってもらい、それをきれいに撮るわけですが、わたしは俳優が演技をしようとしている仕草などをカメラにおさめていったのです。なので、撮った一連の写真を見ると、それはまるで映画のワンシーンのような印象を見る人に与えました。そうやって修業時代に少しずつ積み重ねていったので、いざ「映画をつくりたい」といったときには、たくさんの人が手助けしてくれることになったのですね。

まだ1本も映画を撮ったことがないときに、リスキーなことを1つした記憶があります。それは18歳のときでした。1つの賭けともいえるもので、自分がロンドンにいってスタンリー・キューブリックの『2001年宇宙の旅』（1968年）のオープニングのチケットを手に入れてくる、といったものでした。イランの友人知人たちは、そん

アミール・ナデリ監督

なことは不可能だと思っていました。わたしがイギリスへ渡航して実際にそれを実現したときは、かなり度肝を抜かれたようです。その時点ではまだ、映画監督としての経験はまったくなかったのですが、その賭けに勝ったことによって、どういうわけか自分に自信がつきました。不可能と思えることでも、何かをやろうという強い意思をもてば、それが実現するのだと思えるようになりました。

ロンドンにいたときに、そこで上映していたフランスのヌーヴェルヴァーグの映画を観ることができました。それまで映画をたくさん観てきたので、ヌーヴェルヴァーグの映画を観て、何がそれまでの映画とちがって新しいのか、よくわかりました。ヌーヴェルヴァーグの映画からは影響を受けましたね。特に演出面や音響設計の仕方、そして撮影や編集のやり方が監督によって全然異なることがおもしろく、注目しながら観るようになりました。いつも片手にはペンと紙をもって映画館に入り、映画を観ながら気がついたことをすべてメモした。そうやって他人の映画を見ながら書き散らしたメモやノートの類いが、家には山のようにあります。

70年代の『タングスィール』『ハーモニカ』

金子　今回の東京フィルメックスの「特集上映　アミール・ナデリ」では、『タングスィール』（1973年）、『ハーモニカ』（1974年）、『期待』（1974年）といった、監督のキャリアのなかでも初期の作品を観ることができました。『タングスィール』は同時代のアメリカ映画などとも一脈通じるところのある、ある男の復讐劇になっていて純粋にアクション映画としても楽しめました。

ナデリ　わたしの一番最初の長編映画は『さらば、友よ』（1971年）という作品で、本当の本当に低予算でつくりました。この映画には自分の情熱をすべて込めたので、イランの観客からは好意をもって受け止められました。今回上映された『タングスィール』は3本目の長編映画になります。あまりよい状態のプリントがなかったのですが、イランのフィルム・アーカイブにあたる組織がこのほど協力してくれたおかげで、よい状態の映像で観ていただくことができたと思います。慎ましい生活をしていた男が、法律家や聖職者と裏でつるんだ商人によって全財産を奪われてしまい、堪えるに堪えかねて、ライフルを手にして復讐に立ち上がるといった内容です。イラン映画のスターであるベヘルーズ・ヴォスーギが主演して、公開当時はイランで興行記録を塗りかえるほど大ヒットした作品です。

『ハーモニカ』

　処女作の『さらば、友よ』から2本目、3本目と映画をつくっていって、『タングスィール』で1つの飛躍が成し遂げられたことがわかります。一本の作品を仕上げると不満や課題が残るものですが、それを次回作のなかで解決していくことが大切です。『タングスィール』にいたって、わたしは一般の観客もそうですが、同業の映画監督や若いシネフィルから注目されるようになった。イランでは、この作品を観たことで映画監督を志すようになった人が増えたそうです。この映画は45年ほど前に撮った映画になります。公開当時からわたしは一度も見直したことがなかったので、今回の上映は自分にとっても大きな意味をもっていた。もし、もう一度同じシナリオでこの映画を撮ることがあったら、演出も編集もすべて同じ手法になると思います。それほど、この作品でわたしの方法論は確立されたといっていい。笑ってても泣いても、わたしにはいまのところ21本の長編作品しかない。それだけ撮っていくためのベースをつくってくれた映画だと思います。

金子　翌年の『ハーモニカ』もまたナデリ監督の初期の代表作ですが、こちらはイラン南部の海辺の村を舞台にして、ハーモニカをめぐって子どもたちの社会においてパワーバランスが変化していく、当時の政治や社会に対する寓意をこめたドラマになっています。

ナデリ　『ハーモニカ』は4番目の長編になりますね。前作の『タングスィール』を撮ったとき、製作会社は規模の大きなところで、監督としてのギャランティも高価でした。現在でいったら1000万円程度のギャラがもらえたのです。そして次の映画は何を撮ろうかと考えていたら、イランに「青少年児童協会」という組織があることを聞き、そこをスポンサーにして児童映画をつくれば、70年代前半において最新だった機材をいろいろ使用できることがわかりました。それも政府の組織なので、機材や設備が無料でつかえるというアドバンテージがあった。商業主義的な映画のシステムの枠内で仕事をしていると、資金やプロデューサーなどの関係で、いろいろと複雑で面倒なことがおきます。ですが、物語において子どもをテーマにすれば、演出面などでは自由な裁量が与えられるということで、そこで映画を撮ることに決めました。

『ハーモニカ』は自分の故郷であるイラン南部の港町アーバーダーンを舞台にした、自伝的な映画だといえます。まず子どもたちに出演してもらって映画をつくることが好きだったし、その子どもたちを自分が生まれ育った地域で撮れれば、その環境には慣れているので、自分のなかの奥深いところにあるもの、つまり自身の根源的な物語を取りだして映画をつくれることに魅力を感じたのですね。正直にいうと『ハーモニカ』の映画のなかでおきるできごとは、実際にそのまま自分の身におきたことなのです。わたしはこの映画の少年のように子どもの頃は太っていたし、いっぱいご飯を食べていたし、いたずらっ子だったたし、音楽に強い興味を抱いていました。自分の性格として、いつもまわりの人びとに心を開いて、みんなに優しくしようとしていた。ところが、そうやって自分はすべてをだしているのに、相手側から反応をもらうときにすごく苦労しないといけない、ということがその頃わかったのですね。

商業映画のシステムのなかで映画を撮ると、撮影期間から製作費、俳優のスケジュールからギャラまで、さまざまな条件があるから自分のやりたいようにやることができない。ですが、「青少年児童協会」をスポンサーにして映画を撮れば、画布に自分の好きな色を置いていく画家のようなやり方で、自由に映画が撮れたのです。子どもたちとの関係さえ何とかすれば、物語としても画面のなかの構図としても、子どもたちを自由に配置できるという強みがありました。いま

『ハーモニカ』を見直してみると、若い頃からいかに自分が芸術や音楽に関心をもっていたかがわかり、それが映画に現れているなと思います。この作品をつくったおかげで、自分の映画づくりに新しい扉が開き、新しい世界へと一歩踏みだしたといえます。

今回ほとんど40年ぶりくらいに『ハーモニカ』を劇場のスクリーンで観て、自分としても、いろいろなことを思いだしました。この映画を公開したときは、イランでの反響が大きかったです。当時も「すばらしかった」「感動した」といった感想をいただきましたが、やはり出演した子どもたちの力に負うところも多かったと思います。『ハーモニカ』に出演した子どもたちは、プロとして訓練された子役ではなく、映画をほとんど観たことがなく、映画館にすらいったこともないような子どもたちだった。だからこそ、映画のカメラを向けられても、いつもと同じように自然に振る舞うことができたし、よい意味でプリミティブな動きをしてくれた。そのような子どもたちと共同作業をすることが自分には大切だったし、何より撮影していておもしろかったのですね。

映画とイラン社会の関係

金子　『ハーモニカ』という映画は、もちろん児童映画として優れた作品なのですが、それと同時に大人たちがこの作品を観ることによって、当時のイランにおいて社会的なインパクトを与えたといわれています。そのあたりを詳しくお話しいただけないでしょうか？

ナデリ　はい。『ハーモニカ』という映画は、いわゆるイラン革命、つまり、それまであった王朝をホメイニ氏らが打倒して、イラスム共和制を樹立した革命の前に撮られています。イラン革命自体は1978年から79年におこりました。『ハーモニカ』が最初に上映されたのは、イランの映画祭においてでした。さまざまな批評をもらって、反響もすごく大きかった。イラン革命がおきたあとでよくいわれたのは、『ハーモニカ』という映画が革命を予兆していた、あるいは、この映画があったからこそイランの民衆はイラン革命をおこしたのだ、とまでいう人もいました。そのように他人にいわれて、なるほどと思うところもありました。この映画は、ハーモニカをもつことで子どもたちを支配していた男の子の体制が、あるときひっくり返るといった姿を描いています。イラン革命に限らず、もしかしたらこの物語はさまざまな共同体や国家についても当てはまるものかもしれません。要するに、自分たちの権利をどのように手に入れるか、という永遠の課題に触れている映画なのですね。

大人の世界だけでなく、子どもの世界でも同じだと思うのだけれど、太った少年はハーモニカを貸してもらって演奏したいがために、持ち主の少年に奴隷のようにあつかわれることを受け入れます。つまり、自分がほしいものを手にするためには、どれほど自分を犠牲にしなければならないのか、という物語ですよね。途中でギブアップする人もいれば、ハーモニカを手にするまで、犠牲になってでもがんばる子どもたちもいる。そのようにハーモニカに夢中になって催眠にかけられたような状態にあるわけですが、太った少年は叔母さんの行動によって目を覚ます。そのような話は世界中に転がっていると思います。いくら手に入れたいものがあったとしても、自分自身を貶めてまですることはない、ということです。自分自身を失ってしまったら、手に入るものがいくら大きくても、人生に何の意味もなくなってしまうのです。

映画のラストシーンで、太った少年がハーモニカを奪って、どうして海のなかに投げ込んでしまうのか。どうしてあのような結末にしたのか、自分でもわかりません。わたしが生まれ育ったアーバーダーンのあたりは海辺の街で、ハーモニカを川や池に投げたら、また誰かが見つけて拾ってしまうかもしれない。海のなかに投げ込んでしまえば、誰も見つけられないだろうと考えたのかもしれません。

金子　『タングスィール』がイランの民衆に与えた影響も少なからずあるのではないでしょうか？

ナデリ　とにかく、主演のベヘルーズ・ヴォスーギは当時はすごく人気があった。だから、いろいろな劇場が上映しやすかったということはあります。いまもよく覚えていますが、最初はユーロスペースのような小さなアートシアターで上映がはじまりました。だから、シネフィルや熱心な映画ファンしか観にこなかった。イラン革命がはじまると人びとは、『タングスィール』はこれまでの体制や制度にノーを突きつけた、革命を擁護する映画だといわれるようになりました。イラン革命の前までは興行的にもパッとしませんでしたが、革命がはじまると大ヒットするようになりました。

理不尽な商人や資本家や偉い人たちの仕打ちに堪えられるところまで堪えるベヘルーズ・ヴォスーギは、当時の民衆たちにとっては、わかりやすくいえば高倉健さんだったわけですね。だから26歳のアミール・ナデリという監督の名前は誰も覚えていないけれどもヴォスーギが与えてくれたカタルシスだけは、みんなちゃんと記憶している。『タングスィール』は、革命前は彼の主演作の1本にすぎなかった。しかし、革命のあとになると、テーマが斬新だとか、演出面で優れているとか、いろいろと注目してくれるようになった。自分でいうのも何ですが、いま観ても全然古びていない映画だと思います。イラン映画の新しい世代は、この映画のような破壊力のある作品をどんどんつくってほしいと思います。

ある意味では『ハーモニカ』という映画も同じですね。これらの2作は、あまりに多くの人に観られて反響が大きかったので、自分よりも作品が大きくなり、自分の手を離れていったという実感があります。ただ、これまでのキャリアのなかで何か壁にぶちあたるようなことがあったとき、「彼は『タングスィール』の監督だよ、『ハーモニカ』を監督した人さ、『駆ける少年』を撮った人なんだよ」といわれると、目の前に立ちはだかっていた扉が開くということが何度かありました。イラン・イラク戦争中のできごとを思いだします。ある現場で写真を撮ろうとしたときに、軍に拘束されたことがありました。そのときに「わたしは『ハーモニカ』や『駆ける少年』を監督した人間ですよ」といったら、処分を保留にしてくれたことがある。当時は戦争中でみんな食べるものにも困っていた。その頃にテレビで『駆ける少年』と『ハーモニカ』がオンエアされたことがあった。すると、地方に住んでいる叔母のところに、見ず知らずの人たちが食品をたくさんもってきてくれた、というできごともありましたね。

金子　80年代に撮られた『駆ける少年』は、本当に世界中でヒットして評価も高く、イランのアート系映画の力を世界に見せつけたという感じがします。その後で1990年代に入る頃に、あなたはアメリカに移住していますね。

ナデリ　先ほどもお話ししましたが、イラン南部のアーバーダーンで生まれ育ったわたしは、近くにイギリスの石油会社があって、欧米からきた労働者たちも多くて、地元の映画館でたくさんのアメリカ映画を観て育つことができました。自分の人生を振り返ってみると、その根っこというものはやはりイラン南部で過ごした子ども時代にある。どうしてアメリカにいこうとしたのかというと、一言でいえば「イラン映画の世界は自分には小さい」と思ったからです。もっと大きなことをするならアメリカだなと考えた。それから、昔もいまもジャズが大好きだということもあります。

それと同時に、1980年から81年のイラン・イラク戦争では、イラン側に侵攻してきたイラク軍にとって、2つの河川によって島になっているアーバーダーンの占領はもっとも重要なことでした。なぜなら、当時のイランで産油されていた石油のおよそ3分の2が、ここで生産されていたからです。アーバーダーンの包囲戦でイラク軍とイラン軍が激突して、最後には何とかイラク軍を撤退させましたが、わたしの生まれ育った街は戦火で燃えてしまいました。故郷の街が破壊されてしまった。自分の故郷がなくなってしまったからには、どこか同じ土地に居座っている必要はないと感じたのです。

だから『ハーモニカ』のように、わたしが昔のアーバーダーンを舞台にして撮った映画というのは、南部の人間にとって戦争で破壊される前の故郷を見るような心地になるのでしょう。イランの南部で、この映画のことをけなしでもしたら、人びとはあなたを襲って八つ裂きにするかもしれない。そのような気風が南部の人たちにはあります。南の人はすごく強い、南の人はとてもあたたかい。イラン南部はとても暑いところで、いつも水不足に悩まされています。そんな故郷の人たちを励ますために、わたしはナデリ映画をたくさん上映するということをやってきました。

『期待』

映像詩の方へ

金子　そのように人びとの心を動かす劇映画をつくってきた一方で、今回の特集で上映された『期待』（1974年）や『マジック・ランタン』（2018年）のように、非常にエクスペリメンタルな試みをした映像詩の系譜に連なる作品も、ナデリ監督は撮ってきていますよね。

ナデリ　おっしゃるように、これもまたイラン南部の浜辺を舞台にした『期待』という映画がターニング・ポイントでした。『タングスィール』や『ハーモニカ』でもそうですが、わたしの映画は常に何かと闘っている状況を描くことが多い。それは自分が生まれ育った環境に影響されているからだと思います。しかし、この映画では純粋に映像で世界を構築するナデリがでている。まず、この『期待』には一切セリフがないですよね。映像だけで、観客が目で見るだけでわかるように、ひとりの少年が氷でいっぱいにしたガラスの器を家までもって帰ろうとする姿を描いています。『期待』は愛についての映画ですね。『ハーモニカ』を撮って上映し、いろいろな反響があったあと、同じように「青少年児童協会」に機材をすべて借りて、ギャラは少ない作品でしたけれど、かなり自由に撮れる環境になったということが大きいです。『マジック・ランタン』は『期待』から45年近くあとの作品になりますし、フィルム撮影ではなくてデジタルで撮った作品ですが、やはり「愛」というテーマではつながっています。久しぶりにアメリカで撮影した作品で、映写技師の青年を主人公にして、現実と幻想が入り混じり、古い映画へのオマージュが繰り広げられるファンタジーだといえます。つまり、この映画はわたしにとって映画に対する愛情を展開した作品なのです。もっといえば、溝口健二の映画への憧れが前面にでています。監督としてのわたしにはストーリーテラーという面と、純粋に映像の美しさで勝負する詩人の面と、2つの側面があるのだと思います。

特に後者に関しては、かなり自分のナイーブで内向的な部分がでていると思う。『期待』と『マジック・ランタン』はそのような映画です。『マジック・ランタン』を見ると、自分の映像詩の試みはまちがいではなかったなと思うことができます。もちろん、この映画はロサンゼルスで撮っているから、アメリカ映画の強さや巨大さを自分の肩の上にひしひしと感じながら、つくらなければならなかったということはある。ですが、自分の少年時代や故郷への愛情、そして溝口健二や日本映画への愛情があったので、その愛を注入しながら、アメリカ映画の強さに負けないようにつくりました。溝口映画についてヴェネチアで講演をしたことがあります。また、アメリカの会社が、溝口監督の『雨月物語』（1953年）を修復していて、それに半年ほど立ち会う経験もしたことがありました。そうすることで、溝口映画が自分のなかに血肉化していった。信じてもらえるかわかりませんが、あるとき暗い夜道を歩いていて、背後から溝口健二が付いてきているのを感じたことがあります。そのときに絶対につくろうと思ったのが『マジック・ランタン』です。それで来日して、そのインスピレーションを失わないように、赤坂にある「ドトールコーヒー」の席に座って、6カ月間かけてシナリオを書き、アメリカに戻って撮影をしました。

『山〈モンテ〉』
（写真提供：ニコニコフィルム）

『山〈モンテ〉』について

金子　『山〈モンテ〉』（2019年に日本で劇場公開された）についてお話をうかがいたいのですが。これはまた、ナデリ監督の劇映画と映像詩を融合したような、とても力強い作品になっていますね。

ナデリ　『山〈モンテ〉』に関しては溝口監督ではなく、黒澤明監督の映画の魂をつかみ取ってつくった作品です。本当をいうと、日本で撮りたかった作品でしたね。西島秀俊さんを主演に据えて、製作は松竹でという話ももち上がったのですけれど、人びとの生活の壁となる肝心の山が見つかりませんでした。硬い岩からなる壁を見つけることができなかった。日本であったら黒澤明監督からインスパイアをもらって撮れると思ったのですけど、「そうか、イタリアにいけば彫刻家のミケランジェロがいたな」と思って、彼の国にいって撮ることにしました。シナリオは日本で書いていて、本当に細部までどのようなスタイルで撮るかも考えていた。それがロケをイタリアですることになり、むろんイタリア映画の歴史も深く、尊敬すべき映画や芸術が多いので、イタリアにいったときには、日本で書いたものをイタリアの文化に合わせて書き直す必要がありました。すごく難しかったのは、イタリアの奥深い文化を手につかまないといけないと思ったことですね。

映画全体の演出としては、黒澤明監督のスタイルを保ちながら、イタリアで撮影しようというコンセプトでした。カメラのレンズも、カメラワークも、編集の方法も、録音や音声の入れ方も、すべて黒澤監督のやり方を模倣しています。そして、撮影が終わり映像素材をカバンに入れて日本にもち帰って、東京で6カ月かけて編集作業をしました。なぜなら、日本映画の魂を入れたかったからです。そのためには資金が必要でしたが、どうしてもこの方法でやりたかった。西荻窪に部屋を借りました。編集は自分でやりましたが、オペレーターとして仕事をしてくれたのは日本人の男性です。彼はイタリア語が理解できず、わたしもイタリア語はできません。イタリア語のわからない人と一緒に編集をしたかったのです。セリフがわからないなどの問題がでたときは、イタリアに電話をして聞きながらやりました。音響面でも黒澤監督を真似ていて、『蜘蛛巣城』（1957年）の冒頭の墓場のシーンで、死の世界からやってくるような音でコーラスがかかりますが、あの雰囲気を『山〈モンテ〉』に吹き込みたいと思いました。この映画の物語を要約しようと思えば一行で終わるでしょう。ですが、この作品を撮って仕上げるのは大変でした。

金子　中世イタリアの地方の村が舞台になっていて、そこに夫と妻と息子からなる3人の家族がいます。その村では、壁のようにそびえる巨大な山のせいで陽光が遮られて、思うように作物を育てることができない。ほかの人たちが村を立ち去っていくなかで、頑迷な主人公の男とその家族は何とか生き延びようとする。そして、最後には壁のような山と対峙することになります。伝説か寓話のようなストーリーですが、これはどのように思いついたのでしょうか？

ナデリ　わたしは、1つの物語が思い浮かんだとき、ふと、これは原始人だったら、あるいは昔の人間だったらどのようにやるだろう、と考えるのです。『山〈モンテ〉』を日本で撮ろうとしていたときは、江戸時代を舞台にしようと思っていた。イタリアで撮ることになった段階で、時代をもっと遡らないといけないと考えた。それで中世のイタリアを舞台にすることにした。

さて、人類の最小限の単位は何かといったら、それは父、母、子から成る家族ですね。そして、人間の生活は何だろうと問えば、火、水、風、土という四元素がある。1つの家族があって、そこに山があって、彼らにとって大切なものは一体何なのか、彼らは何をしたいのか。その意志とはどんなものか、その希望とは何なのか。そのように考えていきました。

金子　『山〈モンテ〉』の映画において、主人公の男や家族の前に立ちはだかる山というか岩の存在は、人間の生における試練のメタファーのようにも感じました。

ナデリ　やはり人生のなかには越えていかなくてはならない、さまざまな障害があると思います。その障害は下手をしたら悪に変わってしまうこともある。どうして『山〈モンテ〉』という作品が自分にとって大切な映画かというと、われわれの人生のなかの問題というのは、それぞれに名前がつけられているからです。病気だったり死だったり、あるいはお金や権力だったり、いろんな問題がある。しかし『山〈モンテ〉』という映画では、その障害を名づけえぬものにしたいと思った。ずっと、永遠に人間の前に立ちはだかる障害があるとするなら、それは山かなと思いついた。その山がいつできたものなのか、本当のところは誰もわからない。山というものは、何万年も何十万年も何百万年も前に形成されたものもある。その山は多くの人びとの怒りを静かに見守り、雨を見て、風を見てきたのです。そのような山という存在は、イタリアでは聖なるものとされているそうです。

金子　日本列島にはちょうどいい山が見つからなかったといいましたが、イタリアでもロケ地を探すのは大変でしたか？　実際のロケもアルプスの山でやったのでしょうか？

山爆破シーンについてのお話

ナデリ監督作品である『山〈モンテ〉』で、山をぶっ壊すシーンがあります。そこはCGを使わず、本当に爆破したのだとか…!!

村人たちが総出で宗教行事のためにいなくなった隙に、今だ!!と思って**400発のダイナマイト**を使って、山を爆発させて撮影したんだそう。

おそらくこの辺のどこかを爆破したのでしょう…

それはやばいぞ…!!

しかし、爆発させることを村人には伝えておらず、イタリア、オーストリア、スイスの3つの国から起訴されてしまった!!!

そりゃそうだ!!笑

その後、ワールドプレミア上映をしたヴェネチア国際映画祭で、監督・ばんざい!賞を受賞したおかげで、3ヶ国が起訴を取り下げてくれましたとさ!!

パワーあふれるナデリ監督さすがですね…

ナデリ　ロケ地を探すために、いろいろな国で山を見て歩きました。日本、アメリカ、オーストラリア、韓国、中国にもいきましたね。最後に北イタリアで手頃な山を見つけることができました。2500メートルほどを登って、その山で4、5カ月ほど生活したのです。正直にいって、この映画を完成できるか自信はありませんでした。映画を撮影するために、俳優やスタッフとども山の上にいかなくてはならない。それは、街角にカメラを置くのとはちがって、すごく難しいことでした。100人くらいの人がこの映画に関わっていたからです。それでも自分にはこれができるのだ、自分にはその力があるということを証明してみせたい、と思ってがんばりました。

ですから、『山〈モンテ〉』を日本の映画祭で上映し、日本の劇場で公開できることは、心からうれしい。この映画はイタリアで撮られましたが、自分の生まれた国に戻ってきたかのようです。物語の種は日本で蒔かれ、外国で育てられ帰ってきた。編集作業も東京でやったし、音響やミキシングも東京で仕上げている。日本の観客が喜んでくれる要素がこの映画にはあると思います。黒澤明の映画からインスパイアされた『山〈モンテ〉』という作品には、どこか日本的なところがあります。それは、たぶん主人公の人物像に現れています。この男は無口であまり言葉はしゃべらないけれど、誰に何をいわれようと一所懸命に最後まで戦い抜く。それが、日本人に近いかなと思います。日本の観客はこの映画を見ることで、鏡で自分を見るように感じるのではないでしょうか。

（通訳＝ショーレ・ゴルパリアン）

第3章　東南アジアの歴史と現在

⑪ポスト植民地としての群島——キドラット・タヒミックとの対話［フィリピン］

キドラット・タヒミック（1942年生まれ）は、フィリピンを代表する映画作家、美術家、パフォーマーだ。ポスト植民地としてのフィリピンをユーモアを交えて描いた『悪夢の香り』（1977年）や『月でヨーヨー』（1982年）で、欧米の映画界を驚かせた。1980年前後に撮影をはじめた『500年の航海（バリクバヤン）』（2015年）は、マゼランとともに初めて世界一周を実現した奴隷のエンリケを主人公にした物語だが、最初の撮影から35年の月日を経て完成された。ヨーロッパに渡ったエリートだった彼が、どのようにして先住民族の知恵に学ぶような、フィリピン映画の精神的な支柱になっていったのか。

映画作家になるまで

金子遊　読者のために、あなたが映画監督になる前のことを少し教えてください。1967年にアメリカのペンシルベニア大学大学院でMBAを取得したあと、1970年代に経済協力開発機構（OECD）の職員（エコノミスト）としてパリで働きはじめた。ところが1972年に卒業証書を破り捨てる。そこから映画監督になるまでを簡単に教えてください。

キドラット・タヒミック　わたしは自分のなかに芸術への思いがあったにもかかわらず、仕方なく経済学者になってしまいました。大学の学部では演劇専攻だったのです。ところが何かの間違いで、大学の学生会の会長になってしまった。会長というのは、普通は経営学部か経済学部か法学部の学生がやることになっていた。何かの手違いで選挙で当選して会長になりました。大学に8万人くらいの学生がいて、彼らの前でスピーチをしたり、一方で当時のフィリピン大統領に反対するデモのリーダーなどもやっていました。自分もいつか大統領になれるかもしれないと思ってしまった。それで修士課程はビジネスをとることにした。なぜなら、自分の国はまだ発展途上国なので、第三世界の国には芸術よりも経済のほうが必要だろうと考えたからです。その結果、わたしはペンシルベニア大学で修士号をとることになりました。

大学院を卒業したあと、大学のあるフィラデルフィアで第三世界における肥料の配分の専門家になったのです。それでOECDのために働きはじめて、5年の月日が経ちました。つくづく嫌になって、自分はエコノミストではなく、やっぱりアーティストとして形づくられた存在なのだと気がつきました。1971年、29歳のときに夏期休暇をとって、ノルウェーの農場で働きはじめた。朝は干し草をかきわけて、午前中はタイプライターで戯曲を書くために過ごしました。夏休みが終わってパリの仕事場にもどって気がついたのは、9時から5時まで働いていたら、戯曲を書き上げるための時間がないということでした。そのときに、大学の卒業証書を破り捨てました。それは象徴的な次元では、自分が後戻りするための橋を焼き払うというジェスチャーだったと思います。スーツやネクタイを捨てて、髪の毛を伸ばしはじめました。

しかし、フルタイムで芸術家をやるためには、生活費を稼ぐ手段が必要でした。ちょうどミュンヘン・オリンピックが開催されていたので、フィリピンで製造されたオリンピック用のおみやげ品を販売することができた。それで4000ドルか5000ドルの儲けを手にして、そのお金で1、2年過ごしながら戯曲を完成しようと考えた。そのオリンピックのマスコットがダックスフンドだったので、2万5000匹の犬たちを引き連れてミュンヘンに向かいました。ひと儲けしようと思っていたら、オリンピックの最中に人質事件がおき、犯人側も人質側もみんな殺害されてしまった。それでオリンピックの雰囲気が変わってしまい、新しい規則もできて、みやげ品が売れなくなり、8000匹の犬とともに取り残されることになりました。まったく儲からずに終わって破産し、ミュンヘンのアパートの家賃も払えなくなり、郊外にある芸術家たちのコミューンに移りました。そこで出会ったのがステンドグラスの作品をつくるドイツ人の芸術家で、妻のカトリンです。それから学生映画の監督たちに出会い、彼らはボレックスのカメラで遊んでいました。わたしは16ミリフィルムの撮影方法を彼らから学びました。天のいたずらでしょうか。オリンピックで事件がおきたことによって、それまで演劇を目指していたわたしはいろいろな人びとに出会い、映画をつくることになったのです。

キドラット・タヒミック監督

『虹のアルバム』について

金子　その後、フィリピンのルソン島にあるバギオ市の近郊に暮らして、イフガオ族の長老ロペス・ナウヤックら友人たちから先住民の文化を学び、奥さんやお子さんたちとアートに専念する生活がはじまったのですね。それでは、その家族たちを撮った『虹のアルバム』（１９９４年）についてお話を聞かせてください。

時代的にはフェルディナンド・マルコス大統領が失脚し、コラソン・アキノ大統領が生まれる１９８６年前後。１９８１年から撮影をはじめ、１９８６年にいったん完成し、上映をつづけながら追加撮影をしていき、１９９４年版ができています。『虹のアルバム』では、フィリピンの歴史的な転換期があつかわれていますね。前半ではマルコスという独裁者へのプロテスト運動の高揚が描かれますが、後半では台風や火山の爆発などの天災と、アキノ政権の苦難と矛盾も描かれています。ミクロな自分の家族生活と80年代のフィリピンの社会情勢が感情的に近づいたり、対比されていったりします。

タヒミック　そうです。１９８６年までは、映画のメインとなっているマルコス大統領へ抵抗した世相を撮りました。１９８６年でいったんフィリピンにおける民主化の革命が成功して、「世界中がコラソン・アキノ新大統領を愛しているのだから、早く映画を完成するべきだ。そうすれば、各国のテレビ局が放映権を買ってくれるだろう」とまわりから勧められた。それで１年くらいかけて『虹のアルバム』の最初のバージョンを完成したのですが、何かがおかしい、何かが間違っているという感じがしていた。というのも、せっかくマルコス大統領を追いだしたのに、あきらかに民主主義はうまく機能していなかったし、アキノ大統領に対して軍がクーデターをおこしました。その結果、腐敗した官僚たちがもどってきた。新しい民主主義が約束したことは何も果たされていませんでした。そのため映画を完成するわけにはいかず、ひきつづき7年間かけて撮影をしていました。そうしたら、「山形国際ドキュメンタリー映画祭」の東京事務局の矢野和之さんが「この映画を完成しなくてはダメじゃないか。撮りつづけてもいいけど、とりあえず一般公開できる形にしてほしい」といいだしました。それで1994年に公開可能なバージョンを完成したのです。

金子 映画のスタイル面では、日常的に妻や3人の子どもを日記映画的に撮っていますよね。ある程度撮りためたところで、父親が子どもたちにいろいろと教えていく対話をナレーションでかぶせるというアイデアがでてきたのでしょうか？

タヒミック 現代であればビデオカメラやスマートフォンをつかって、親たちは子どもの成長を撮影することでしょう。そのようにわたしもまた、写真機代わりにボレックスのカメラをつかって、それをやっていたのかもしれない。自分と家族のストーリーを16ミリフィルムで語っていたことになります。それでも単なる個人映画で済まないのは、家庭の生活というものも外の世界でおきているできごとに影響を受けつづけるわけです。特に自分自身が独裁者に抵抗する運動のなかにいた人間なので、家庭のできごとを撮っていても、大変動する時代に関わっていることはわかっていましたね。日記映画、個人映画、劇映画、ドキュメンタリーというジャンル分けはそれを研究する人のためのものです。わたしの作品が「山形国際ドキュメンタリー映画祭」に呼ばれたとき、「自分はドキュメンタリーを撮っていたのか」と気がつき驚いたくらいです。でも、そうやって山形のような場が「ドキュメンタリーとは何か」という枠組みを広げようとしてきたのはよいことです。
撮影の練習という意味もあって、学校での子どもたちの姿を撮ったり、家庭での子どもたちをドキュメントしたり、あるいは政治的なデモンストレーションに参加している自分たちを撮影したりしていました。そのうちに、いわゆる「黄色い革命」が大きな化学反応をおこす装置として機能することで、身のまわりの家族の生活を撮った映像の断片が、1つの物語としてのまとまりをもつための大きな役割を果たしていきました。ですので、当時の政治的な状況は『虹のアルバム』にとっては、大きな要素でした。

金子　『虹のアルバム』ですが、それだけ長期間にわたって映像を撮っていて、編集はどのようにやっていくのですか？　撮ったものをすぐ編集しておくのか、それとも長期間寝かせておいて、あるときにまとめて編集をするのか。

タヒミック　学校の行事があるときに撮影したり、街で開催されたイベントのときにも撮ったりしていました。子どもたちを撮影した大量の映像フッテージがありました。1983年にベニグノ・アキノ上院議員がマニラ国際空港で暗殺されたときに、その射殺事件がきっかけとなってフィリピンの国全体でいろいろなことがおきだしました。政治的な事件がおきる前は、プライベートな事柄に関してはバラバラなできごとがおきて、それらを撮ったフィルムがたくさんあるだけでしたが、それ以降は無関係に見えていたものが、事件が立てつづけにおこるなかで位置関係が明確になっていき、構想ができあがっていきました。フィリピンにおいて民主化革命が次々とおきていったという枠組みを使うことによってさまざまな映像を結びつける、という方法がもっともやりやすかった。

たとえば、頭のよい訓練されたドキュメンタリー作家がいるとします。その人であれば、大学や映像の学校で習ったドキュメンタリー作品のつくり方やフォーマット、1つのイデオロギーなどの枠組みをつかって、物語を構成することをまず考えるわけです。わたしの場合、身のまわりで何かがおきていれば、ジャーッとフィルムを回しておく。たとえば、息子の歯が抜けたときの映像を撮ったな、と頭のどこかに記憶しておきます。そして、第三世界の歯医者、第三世界の経済危機、独裁者の問題といったものがわたしのなかで結びつく。それはカオス状態のモチーフですが、その混乱のなかにも1つのまとまりが、映画的にはでき上がっていくわけです。もし自分が映画学校に通っていたら、このような形式の映画をつくることはできなかったでしょう。

その一方で、わたしにとって同じくらい重要なのは、3人の息子たちの父親であり、彼らのよき友人であるということです。ですから、彼らとの関係性は遊び心に満ちたものであるし、そこで多くの親がすることと同じように子どもたちを撮影するわけです。他方でわたしは自分が属する社会における政治的な観察者でもあります。ですから、そのような異なる要素のものが組み合わさると、いままでとはちがった形式のストーリーテリングが生まれてくるのです。ですから、社会的な事件がおきれば新しいフッテージを撮り、それを組みこむことによって、それまで考えていた映像の並びや編集も変わってくることがあります。あるいは政治的で社会的なものに限らず、たとえば旅行していたときに何気なく撮ったフッテージによって、映画全体の構造が変わっていくということもあります。

最後にもう1つ重要なのが、カメラの前でわたしが自分自身のよいところも弱さも含めて、すべてを曝けだそうと思ってしまう人間だということです。ですから、単に息子たちを被写体として撮影するだけでなく、撮っている自分も作品のなかに入っていくことで、普通にシナリオを書いて撮る劇映画の物語やドキュメンタリーの構成とはちがったユニークな物語になっていく。いってみれば、いま撮っている映画のラストシーンを探しつづけながら撮りつづける映画だといえるでしょうか。

『500年の航海』について

金子　次に『500年の航海（バリクバヤン）』についてうかがいます。まず、アイデアが秀逸です。世界周航したとされるマゼランは、じつはフィリピンのマクタン島で殺されたため、世界で最初に世界一周をしたのは、西洋に連れていかれてその後帰還したフィリピン人の奴隷のエンリケだったといいます。16ミリフィルムで撮った劇映画のパートは、『悪夢の香り』や『月でヨーヨー』のようにボレックスで撮った部分でしょうか。『月でヨーヨー』という作品のあとに、この劇映画の部分を撮影したけれども、35年ほど中断して、またつづきを撮ろうと思ったのにはどのような理由がありますか。

タヒミック　『月でヨーヨー』という映画は、ミュンヘンでの生活からフィリピンへともどる変化の時期につくった作品です。世界中の誰も最初にヨーヨーを考案したのがフィリピン人だと知らないということに気がついて、それを大元のアイデアとしました。その頃、ふと耳にしたのは、最初に世界一周をしたのは航海者のフェルディナンド・マゼランではなくて、じつはフィリピン人の奴隷だったという逸話でした。奴隷の名は地域名とともに呼ばれるので、彼は「マラッカのエンリケ」と呼ばれていた。それで、自然な流れで両者は結びつきました。両者はまったく異なるタイプの映画ですが、『500年の航海』の場合には、自分自身がもっている歴史観を書き換える必要がありました。もちろん、その当時は35年もかかって完成することになるとは思っていませんでしたね（笑）。

マゼランはフィリピンで亡くなっているので、実際には世界一周してヨーロッパに帰還したわけではない。彼の船団は無事に帰還したのですが、そのなかにフィリピン人の奴隷がいたのです。劇映画のパートではその奴隷の男エンリケをわたし自身が演じています。彼をルソン島の山岳地帯にあるイフガオ族の出身としたのは、わたしの創作です。歴史的な研究書であるアントニオ・ピガフェッタの『マゼラン　最初の世界一周航海』という本によると、いくつかの要素において、本当にフィリピ

『500年の航海』
（写真提供：シネマトリックス）

ン人が最初に世界一周を成し遂げたのではないかと読める部分が見えてきます。それで1つの物語がつくれるだろうと思いました。

わたしたちはマゼランの探険によって「地球が丸い」ことが証明されたという知識をもっています。ところが、多くの人はマゼラン自身が世界一周を最初にした人間だと勘違いしている。より意識的に歴史を見る人は、スペインのセビリアをでてマゼランは途中で亡くなっているので、本当に一周をしたのは、その旅で生き延びたセバスチャン・デル・カーノであると知っています。西洋文明には物事を書き残すという習慣があるので、セビリアの公文書館にいくと、いまでもマゼランの航海に参加したすべての船員が書いた文書が保管されています。しかし、世界には物事を書き残さない文化圏もあります。だから、より大きな偉業を成し遂げていても、たまたま記録資料に残されていないだけかもしれない。日本の東北地方の沿岸に大津波がきたときも、たまたま多くの人がカメラをもっていたので、それでたくさんの映像が記録されることになりました。日本の津波に関しては記録が大量にありますが、インドネシアのアチェ島でそれがおこった場合には、ほとんど映像の記録が残されていない。口伝えで何がおこったかが伝わっていきました。

ですから、わたしたちは何世紀にもわたってヨーロッパ文明が書き残した記録資料に基づいた事実を信じこんできました。共鳴装置のなかでしか物事を見てこなかった。その反響する共鳴装置の内側で、わたしたちは「マゼランは英雄だ」「彼はすごいことを成し遂げた」とずっとくり返し刷り込まれてきたわけですから、いったんそのヘッドフォンを外して異なる見方をしてみなくてはならない。現代の消費社会でも同じことがおこなわれていて、人びとは幸福になるために高級車や高級マンションや玩具がなくてはならないと聞きつづけて、それに染まって物を購入しつづけてしまう。今日の世界では、木々を切り倒して建物を建てて街をつくり、あるいは人間を月に送ることが進歩や発展だと思われているわけです。そのようなことを信じる共鳴装置の内側にいるかぎり、自然を搾取することが人類にとってよいことだと見なされます。気がつけば、地球温暖化がはじまり、超巨大台風が生まれるような世界になってしまった。そこから逃れるために、マゼランがはじめて世界一周を成し遂げた、という大きな物語から一歩外へでて、ほんの小さい人間の物語を語ろうとしました。

『500年の航海』

金子　16ミリフィルムで撮られたマゼランとエンリケの物語には、エンリケの恋人のイザベリータという人物も登場します。それから、現代を描いたパートでは、マゼランに似たポルトガル人のひげ面《づら》の男性がフィリピン人の画家を探して、山奥にあるイフガオ族のハパオ村をたずねる物語があり、それが映画の半分を締めています。現代と過去が５００年の時間を結びつけるように、随所で響きあっていますね。

タヒミック　１９７９年に細かいものから撮りはじめました。１９８１年から１９８５年のあいだに、より大きなシーンをだいたい撮っています。そのなかで、主人であるマゼランとフィリピン人の奴隷との関係について、いろいろと空想をめぐらせていきました。それは、第一世界と第三世界の関係性だといい換えることもできます。ふたりの物語が映画の中心になることはわかっていたので、まず最初にその部分を撮りためておくことで予算を集められれば、太平洋に乗りだして規模の大きなシーンを撮れると考えていた。シナリオは書かなかったものの、プロットは書いていたので、頭で何がおき、真ん中がどのように展開し、最後がどのように締めくくられるのかは大体わかっていました。そのあいだをどのように埋めていくかは、天の思し召しのままにしました。

80年代にはまだビデオカメラがなかったので、16ミリフィルムで撮っていたわけですが、87年か88年あたりでいったん撮影を中断しようと思いました。その頃、ちょうど子どもたちが思春期に差しかかっており、この時期を逃したら、それはわたしにとっても子どもたちにとってももどってこない時間なので、いまは家庭生活に集中しようとしたのですね。映画を完成させるのは、子どもたちがもっと大人になってからでよいと考えた。ですから5年後か10年後に、この映画にもどってくればいいと思っていたのが、それが15年、20年、30年と経ってしまった。マゼラン役を演じた俳優は亡くなってしまい、どうやって撮りつづければよいかわからなくなってしまった。わたし自身がフィリピン人奴隷のエンリケを演じていますが、髪の毛は白髪になり、お腹もでてきて、今度はどうやって物語を完結させたらいいかを悩むようになりました。

そのあいだにわたしにさまざまなことがおこりました。1つは、パナソニックのビデオカメラをくれた人がいて、そして2012年に4度ほど自分の映画の回顧上映がおこなわれ、アメリカで大きなスクリーンでマゼランを撮ったフッテージを見直せたことでした。ハーバード大学やカリフォルニア大学バークレー校のフィルム・アーカイブでそれを見せて、ニューヨークではアンソロジー・フィルム・アーカイブで見せたのです。その経験が「もう、この映画を完成させよう」というエネルギーを与えてくれました。ちょうど息子のカワヤン・デ・ギアがそれまで生やしていなかったのに、その頃もじゃもじゃのひげを生やして髪の毛も伸ばしていました。それを見て、「あ、彼がマゼラン役をできる」とひらめきました。そこでマゼランから500年後の現代において物語がつづくアイデアを思いついたのです。

80年代初頭に撮っていた16ミリ部分の登場人物たちが、現代の世界に生まれ変わって、輪廻転生でそこに現れたことにした。そして、ルソン島のバギオ市で開催されるフラワー・フェスティバルでみんなが邂逅するという設定にしました。そうして、物語をうまく発展させるアイデアがでてきました。マゼランの伝記映画をハリウッドがつくれば、かならずそうなるような線的な物語ではないものが生まれてきた。2015年にようやく映画づくりという大きな旅を終えることができました。そこで完成したはずでした、けれどもいまだに少しずついじって遊んでいます。いまつくっているのが7つめのバージョンです。基本的には同じ物語なのですが、もう少し引き締まったものにしようとしています。これが、撮影した素材との自分流のダイナミックな関係の1つの例です。わたしは「映画はこのように撮らなければならない」というルールに一切囚われていないのです。

金子　ラヴ・ディアス、メンドーサとのオムニバス映画『それぞれの道のり』（２０１８年）に収録された中編「カブニャンの旅」を拝見しました。30年後の『虹のアルバム』という気もしないでもありません。ルソン島のバギオがだんだんと都会になって変貌してきて、ご子息で共同監督のカブニャン・デ・ギアはミンダナオ島への移住を決めるわけですね。あなたは飛行機でダバオまで飛びますが、息子のカブニャンは車とフェリーでミンダナオ島を目指します。この映画をロードムービーにしたわけを教えてください。

タヒミック　振り返ってみれば、自分の映画はすべて旅についての映画なのですね。『悪夢の香り』もフィリピンのある村からパリにいく旅の物語ですし、『月でヨーヨー』はヨーヨーが月にいく話ですし、『５００年の航海』はもちろん初の世界一周航海の物語です。ほかの映画もみんなそうです。

ところで、最初にブリランテ・メンドーサから「ラヴ・ディアスと一緒にオムニバス映画をつくりたいので、あなたもやりませんか」という提案がありました。わたしはもう76歳ですので、『５００年の航海』が自分にとって最後の大作になるだろうと思っていました。大きな作品をつくるだけの体力は残っていない。でも、このふたりのフィリピンを代表する映画監督と一緒に仕事をするのは悪くない、よい経験になると思って引き受けました。

『５００年の航海』のタガログ語の原題である「バリクバヤン」は「旅」という意味です。それは物理的にA地点からB地点へ移動する旅のことです。しかし、わたし自身はタガログ語の「ラカラン」という言葉が意味する「旅」の概念のほうにもっと関心があります。『それぞれの道のり』では、息子のカブニャンは南のミンダナオ島へ移住するわけですが、ラカランの意味するところはそうした物理的な移動だけではありません。その言葉はかつてフィリピンの革命家たちによってつかわれました。スペインを相手に独立戦争を戦った人たちの言葉で、それは物理的に移動するとき、人には内面的な旅がおこっているという考え方をします。啓蒙という光にむかって、自分自身がよりよいものとなるように、それを内面的に探求するための旅のことです。

まず、息子のカブニャンが、1974年型のフォルクスワーゲンのワゴン車に乗って、北から南へフィリピンを移動していく旅の場面がありました。その旅を通して、息子が成長するであろうと思いました。彼は道のりの途中で、さまざまな芸術家や先住民族の人たちに出会っていく。彼にとって人生の新しいフレームワークができあがっていくだろう、と。そのようなアイデアでもって「カブニャンの旅」という映画では遊ぶことができましたが、ただ、この40分版にはあまり満足していません。2時間という上映時間のなかに、ほかのふたりの監督の作品とともに収らなくてはならなかったので、何か効率的すぎるきらいがありました。最初に完成したときは90分の映画だったのです。40分以内で完成させるという約束事があったことを知らなかったのです。ですから、いろいろなところを切り刻んでいった結果が、今回の40分版の「カブニャンの旅」なのです。

どのように編集すればいいかわかっているので、今後、もっと自由なバージョンが完成されることになると思います。それをつくることは、わたしにとっての内面的な旅にもなることでしょう。

（通訳＝藤原敏史）

タヒミック監督の作品を観ていると、
いつもタヒミックさん自身が映っている…
そこで気になる髪型をご紹介したいと思います!!!

タヒミックヘアーカタログ

悪夢の香り(1977)
Perfumed Nightmare
の時のヘアー

イチ押し!!

きれいにそろえられた前髪…とっても似合ってる…!!

月でヨーヨー(1982)
Sinong Lumikha ng YoYo?
Sinong Lumikhang Moon Buggy?

ちょっと伸びてる!!

日本公開年

虹のアルバム(1994)
Why is Yellow the Midde of the Rainbow?
1980年~1994年の映像なので、
よりすぐりをご紹介!!

前髪も伸びてて センター分け!!

車の中で髪を切っているシーン…
一番短かい!!

500年の航海(2019)
Balikbayan #1
Memories of Overdevelopment
Redux VI
これも1980年代からの映像なので、今現在の姿を!!

白髪もステキ!! うしろで結んでいるので本当はロン毛!!

⑫マニラのスラム街を撮る——ブリランテ・メンドーサとの対話［フィリピン］

ブリランテ・メンドーサ（1960年生まれ）は長編映画デビュー以来、『フォスター・チャイルド』（2007年）、『サービス』（2008年）、『キナタイ　マニラ・アンダーグラウンド』（2009年）といった作品で、都会のスラム街の底辺に生きる人たちの姿を活写してきた。近年は、南部の武装組織によって起きた観光客誘拐事件をあつかった『囚われ人』（2012年）や、イスラム教徒の少数民族を撮った『汝が子宮』（2012年）など、国内のマイノリティの姿に光を当てている。どうして久しぶりに、本格的な社会派の「スラムもの」である『ローサは密告された』（2016年）を撮りあげることになったのか。

ファウンド・ストーリーの方法論

金子遊　メンドーサ監督が師事した脚本家のアマンダ・ラオのメソッドが、どのようなものであったか教えていただけないでしょうか。

ブリランテ・メンドーサ　それは「ファウンド・ストーリー」と呼ばれているメソッドです。この「ファウンド」というのは4つの原則に基づいています。1つ目は、現実の状況や経験に基づくストーリーでなくてはいけないということ。2つ目は、それが自然なものでなければならないことです。映像を見たときに、人物の動きが振り付けされたり、リハーサルされたりしたものであってはならない。本物の人間の動きでなくてはいけない。3つ目は、社会的な関連性や意味がなくてはならないこと。登場人物の男性、あるいは女性の物語であったとしても、彼ら／彼女らが属するコミュニティに関するストーリーになっているべきだということです。4つ目には、映画の物語のなかに何か課題がなくてはならない。それを哲学として、映画を通じて伝えるものが何かなくてはいけません。これら4つの要素のなかにさらに細かな要素があって、それらの要素がその哲学を定義していると考えます。それが、わたしが「ファウンド・ストーリー」と呼んでいる物語づくりの原則です。

金子　たとえば、メンドーサ監督が撮った『フォスター・チャイルド』（2007年）という映画のなかで、フィリピンにおける里親の制度を取りあげたのは「ファウンド・ストーリー」に基づくものだったのですか。この映画では、長まわしを基調とするカメラが、主人公の母親であるテルマの行動に密着して、人物のセリフと街の雑踏などのノイズが生々しく耳に飛びこんできます。マニラのスラムでたった5日間の撮影で撮られたというのも驚きです。スラム街をリアルに描くとき、そのコミュニティがもっている課題をどのように考えて撮ったのでしょうか。

メンドーサ　スラム街に暮らす人たちにも、もちろん人生や愛の物語があります。ある人が家族や恋人に愛を注ごうとしても、実際の人生においてはそれが十分になされることはありません。そのスラムの社会において自分が生き延びていくためには、もっと現実的な側面においてやらなくてはならない課題がいろいろあるからです。『フォスター・チャイルド』のなかでわたしが伝えたかったのは、まさにそのような人間性が直面している課題だったのです。

この映画に登場するテルマという母親には、実子がふたりいます。その一方で、テルマは里子（フォスター・チャイルド）にいく子どもを一時的に預かる仕事もしています。3歳のジョンジョンを引き受けており、アメリカ人の里親が見つかるのを待っているところです。彼女は里子に対しても、母親としてその子にできるだけのことをしたいと思っています。実際には自分の子どもではないという現実をきちんと理解しながらも、心のなかではすべてを捧げたいと思っている。やがて里親の希望者が見つかって、テルマは切なさを感じながらもジョンジョンを連れて引き渡しの場所に向かうことになるのです。

ブリランテ・メンドーサ監督

『ローサは密告された』

金子　同じくフィリピンのスラム街を舞台にした新作『ローサは密告された』（2016年）は、日本でも劇場公開されソフト化もされて、一般的に広く観られる作品になっています。この映画の製作には5年の月日がかかっているということですが、この映画でフィリピンの麻薬問題に光を当てたのはなぜでしょうか。

メンドーサ　麻薬の問題は現代のフィリピンにおける社会的な課題になっており、それを取りあげたかった。取りあげなくてはいけないと思いました。麻薬のテーマだけをあつかっているのではなく、『ローサは密告された』に登場する小売店をやりながら、裏で麻薬の販売に手を染めている夫婦とその家族が主たる登場人物ですが、彼女たちは麻薬の問題を含む難しい状況に直面するような場所に暮らしていたわけで、その生活の全体を描こうとしました。この映画は家族のストーリーであり、特にローサという女性の母親としての物語になっています。この映画のなかで描こうとしたのは、彼女の人生のなかにおけるグレーゾーンの側面といえるものです。

映画を観ている人びとに、ローサの人生においてどの部分が正しいもので、どの部分がまちがっていたのか、考えてもらいたいと思ったのですね。何が道徳的なもので、何が非道徳的なものであるのか、そのような問いかけを観客にむけて投げかけたかった。実際にローサが置かれたような状況に自分がなってみなければ、本当の意味で何が正しくて何がまちがっているか、簡単にはいえないのではないかと思うからです。麻薬のシンジケートや政府の側から見たときに、ローサという女性はよき市民とはいえないかもしれません。でも彼女の子どもたちにとっては、彼女がよき母親であることはまちがいない。ということは、彼女が正しいとかまちがっているということは、誰にも指摘できないことなのかもしれません。わたしにとって道徳とは、選択の問題にすぎないのです。

金子　『ローサは密告された』のストーリーをつくるにあたって、そのアイデアは新聞記事からきたものなのでしょうか。それから、ストーリーを形づくっていく上で、どのようにリサーチを進めていったのでしょうか。たとえば、警察の内部における汚職や腐敗の問題などは、どのように調べていったのか。

メンドーサ　この物語は新聞記事からきているのではありません。実際にわたしの知人が警察に拘束された経験を聞いたことが、このストーリーをつくることになった発端です。不思議なことに、わたしはどのような社会を撮影対象にしても、どのようなストーリーをつくるときでも、現実的な問題を直接調べていく方法を何とか見つけてしまうのです。なぜなら、わたしは映画の登場人物たちの1つの側面だけを見せようとするのではなく、かならず別の側面をも表現しようとするからです。良い警察官もいれば、悪い警察官もいます。実際にフィリピンで警察官をやっている人のなかで、警察官としての物語をわたしに語ってくれる人物が何人かいます。

『ローサは密告された』
（写真提供ビターズ・エンド）

金子　『ローサは密告された』における即興演出についてお聞きしたいのですが。たとえば、ローサのお店に警官たちが強制捜査で踏みこんでくる場面は、どのように演出をしたのでしょうか？

メンドーサ　ローサとその家族を演じた人たちには、お店のなかで夕飯を食べていてくださいといいました。それで、彼らは食事をしていました。そして、警官たちが外の夜の闇から近づいていきました。だから、彼らは次に何がおこるか知らされていませんでした。一方で、お店に踏みこんでいく警察官役の人たちには、店のなかで麻薬を探してくれ、と指示しました。あの場面では、3人のカメラマンをつかっています。ひとりには人物たちのクロースアップを撮ってくれと指示し、もうひとりには、とにかくローサだけを追うようにいいました。それで3人目のカメラマンには全体の状況を撮るように伝えました。それら3人が撮影したものを編集で組み合わせていったのです。

金子　映画から少しはなれた質問になりますが、実際のフィリピン社会における警察の腐敗について、どのように考えていますか？　それから、この映画の物語はドゥテルテ大統領が強権的に麻薬の撲滅運動を進める前の話でしょうか？

メンドーサ　フィリピンの警察だけに限らず、どこにでも腐敗は蔓延しています。このような腐敗した状況を外部にさらけだそうとしている映画作家は、わたしくらいのものなのかもしれませんが。だからといって、ほかの世界のどこか別の国において、まったく腐敗がないかというと、そうではありませんよね。先進国では、もっと大きなスケールで汚職や腐敗がなされているのだと思います。

そうです。この映画はドゥテルテ大統領が登場する以前の物語です。いまの政権は、麻薬の売買や使用に関して、フィリピン社会に問題があるということを理解しています。わたしたちの国のなかで、この麻薬の問題がとても大きな問題であることがわかっています。ドゥテルテ大統領は、麻薬の問題を解決しようとするための、彼なりの方法をもっているように見えます。彼は大統領であり政治的指導者であり、そしてフィリピンの多くの人間に投票されて選ばれた大統領です。ですので、大統領という権限において、彼はどういうふうに解決しようか決めることができる。その権限を彼に付与したのは国民です。ただ彼がおこなっているやり方に、すべてのフィリピン人が合意しているわけではありません。つまり、すべての人が彼に投票したわけではなく、常に彼に賛成しない人がいることも事実です。ただ大多数の人間が彼に投票したという事実は、尊重されるべきだと思います。

『汝が子宮』

『囚われ人』

フィリピン南部を描く

金子　メンドーサ監督は、フィリピン南部のミンダナオ島とその周辺を舞台にした映画を3本撮っています。その地域は、イスラム系の住民が暮らしている地域です。たとえば、『囚われ人パラワン島観光客21人誘拐事件』（2012年）という映画は、イスラム系の武装勢力アブサヤフの一団が、フランス人を含む21人の観光客を拉致した実際の事件をモデルにしています。それを描こうとしたきっかけを教えてください。

メンドーサ　なぜなら、フィリピンの南部には実際にそのような状況があるからです。その地域では、さまざまな誘拐事件がおきていることも事実です。誘拐をおこすということが、南部の地域では一種のビジネスになってしまっています。そのひどい状況というものを、わたしは映画を通してみなさんに伝えようとしました。それに対して何かアクションをおこしたり、力をもった人たちが、フィリピン南部のイスラム地域でおきているできごとやその状況というものに気がついて、何かできることがあればやってほしいという気持ちがあったからです。

金子　『囚われ人』は、アブサヤフの人たちがおこした誘拐事件を、イザベル・ユペール演じるフランス人女性の視点から描いています。それは、どうしてなのでしょうか？　そして、この映画のなかでも即興的な演出方法をなさっていますか？

メンドーサ　彼女が外国人としての視点をもっているからです。この状況、この物語というものは、彼女の視点からしか語れないと思いました。彼女は外国人としての犠牲者です。つまり、彼女はフィリピンの南部でどのようなことがおきているのか、その状況をよくわかっているわけではありません。当時、実際に誘拐されてしまったときに、誰が何を求めているのか、それに関する情報をあまりもっていないわけですね。観客は、このように暗中模索する視点をもつ人物に寄り添うことによって、ハラハラドキドキもするのです。

この映画のなかでも、登場人物の自然なリアクションを引きだすために即興的な演出をおこないました。イザベル・ユペールも例外ではありません。イザベルは、実際に彼女の長いキャリアのなかで、脚本なしに演じるのははじめての経験だといいました。脚本がなくて演技するということは、本人にとってはまったく慣れていないことだったのです。ですが、イザベルは「この映画での経験はとてもよかった、すごく楽しかった」といっていました。

それから、ジャングルのなかで撮影するのは大変でした。さまざまな自然の条件があるからです。いろいろな虫がいますし、天候もとても不安定で、わたしたちがまったくコントロールできないような状況がありました。蚊や蟻が常にいて、俳優やスタッフがそういうものに刺されたり食われたりしていました。ジャングルのど真ん中で撮影していますから、イザベルものすごい大きな蟻に嚙まれて、とても怖がっていました。

金子　一方でメンドーサ監督の『汝が子宮』（2012年）という作品は、ミンダナオ島からさえも遠くはなれたスールー諸島の、フィリピン最南端のイスラム地域で撮られています。このタウイタウィ州の島において、漁で生計を立てる人たちを題材として取りあげたのは、どうしてでしょうか。この映画ではイスラム地域といっても対照的に武装勢力ではなく、タウスグ人、バジャウ人、バンギギ人といった伝統的に海の民である人たちの生活を描いていますね。

メンドーサ　フィリピン南部に暮らしている先住民の人たちは、本当に差別的なあつかいを受けています。わたしたちフィリピン北部に住む人間は、とても南部にいくことを怖がるのですね。フィリピン人としても、南の方へいったら生きては帰れないと考える人が多い。ミンダナオや南部の島々の実際の状況がわからないし、情報も入ってきませんから、さらに怖さが助長されている面があります。わたしはそのような考え方を払拭できないかと考えました。それまではスールー諸島への飛行機は週に1、2度飛んでいる程度でしたが、この映画で紹介されたあとは、飛行機が毎日飛ぶようになりました。わたしが映画を撮影したあとで、実際に地元の観光業が盛んになりました。フィリピンの島々のなかでも、辺境のマージナルな地域に暮らしている少数民族の人たちの存在に光を当てたい、そのような人たちの物語を語りたいという気持ちがありました。

金子　物語のなかでは、島の漁師であり、助産婦もつとめる夫婦はイスラム教徒であり、子宝に恵まれない状況にありますね。それで第二夫人を迎えることにして、子どもを産んでもらおうと考えるわけです。しかし、そのためには非常に経済的に貧しいなかで、なんとか資金を工面しなくてはならない。そのようなストーリーを考えるためには、この地域の庶民の人たちの生活習慣や考え方を少なからず研究したのでしょうか?

メンドーサ　そうです、そのとおりです。『汝が子宮』の夫婦を描くためには、彼らふたりだけの物語にとどまらず、彼らの生活の背景にどのような部族がいて、どのような文化があって、どのような習慣があるのかというところを描かなくてはなりません。たとえば、映画のなかには、牛の頭を切り落とすという生贄の儀式がありますが、実際に彼らの生活習慣のなかで、そのようなことをおこなっているわけですね。彼らにとってはそのような習慣がありますが、別の民族にとっては、聖なる牛の頭を切り落とすことが許されない場合もあります。

これが最初にお話しした「ファウンド・ストーリー」と関係してくる部分なのですが、まず課題が何であるのかを自問します。その課題を明確にしていく必要があります。少数民族の人たちがもっている独特の伝統であったりとか、あるいは、女性が社会や家庭のなかで置かれている位置であるとか。そして最終的には子どもを産むというテーマに特化していきました。そのような状況を設定しているわけですが、わたしが投げかけようとしているのは、彼らがもっている伝統そのものに対する疑問でもあります。この映画のストーリーでは、そのような伝統を度外視した無条件の愛というものがテーマになっていきました。

わたしがこれまでお話ししたことで、気がついていただけたと思いますが、わたしのすべての映画はどちらの側にも味方していません。いろいろな側面から、登場する人物たちが抱える課題を提示しています。そして、観る人たちに考えてもらい、理解して、決めてもらおうとする姿勢をとっています。観る方に批判的で批評的な眼をもってもらい、映画の物語をとおして深く考えてほしいと思い、わたしはその課題を物語に溶かしこむ。映画作家の仕事というのは、さまざまな課題に対する答えをみいだすことではないはずです。映画をつくることは、質問や疑問を投げかけることだと思います。

金子　メンドーサ監督が取りあげる人物たちは、多くの場合、社会的な弱者であったりマイノリティであったり、貧困におちいっているような人たちであります。彼らは自分たちの声を広く届けることができません。そのような人たちを映画で描くのは、どのような考えがあってのことでしょうか？

メンドーサ　わたしがそのような人たちの声になるためです。わたしは実際に彼らの声になっているのです。まさにあなたがおっしゃったような理由から、彼らは発言する力をもっておりません。そのような人たちに声を与えるのが、わたしの映画の役割なのです。そのようなことをしてくれる表現者は多くはいません。わたしが彼らのストーリーをつくることで、彼らの存在に社会的な重要性が与えられることになるのです。

フィリピン刑務所って どうなっているの!?

2016年にドゥテルテ大統領が就任して、麻薬撲滅を半年で達成する!と公約してから、逮捕者が増える増える!!

メンドーサ監督の『ローサは密告された』もまさに似た状況が描かれていますね…。

刑務所の規定だと、
収容者1人あたり **4.7m²**
であるべきなのに、
10人収容されていたりするのです!!狭っ!!

畳1畳が**1.65m²**とすると…
だいたい**3畳**ぐらいの広さに10人いることに!!
やっぱり狭いって!!

収容された人々は、囚人服の黄色いTシャツを着ている…
なぜ黄色なんだ…

こんな過密なもんだから、職員に対する賄賂や買収が横行しているのです…。

⑬フィリピン現代史の闇を暴く――ラヴ・ディアスとの対話［フィリピン］

ラヴ・ディアス（1958年生まれ）は、1998年に長編映画デビューをはたして以来、10本以上の長編映画を撮り、国際的に高い評価を得ている。ときに11時間におよぶ長尺の作品をつくるため「怪物的映画作家」という異名をもつ。日本では映画祭を中心に『ストーム・チルドレン　第一章』（2014年）、『北《ノルテ》――歴史の終わり』（2013年）、『痛ましき謎への子守唄』（2016年）などが紹介されてきたが、『立ち去った女』（2016年）が初の劇場公開作となった。『悪魔の季節』（2018年）では、伴奏なしで登場人物が歌う4時間のアカペラ歌唱の「ロック・オペラ」を完成した。フィリピン版の「罪と罰」といえる『北《ノルテ》』とその背後にある現代史について詳しくうかがった。

ドストエフスキー文学を翻案に

金子遊　まず『北《ノルテ》――歴史の終わり』がどのように製作されたのか教えてください。

ラヴ・ディアス　本作のプロデューサーのモイラさん（レイモンド・リー）が、ドストエフスキーの『罪と罰』をモチーフにして映画をつくらないかといいだしたのです。最初は『罪と罰』のラスコーリニコフが金貸しの女性を殺し、そのあとで罪の意識にさいなまれるという設定からはじめました。毎日少しずつシナリオを書いて、その分の撮影を進めるという方法をとりました。そうするうちに、ラスコーリニコフ役を仮託された主人公のファビアンが、ファシストとして誕生していくという物語展開を思いついたのです。

金子　おそらく『北《ノルテ》――歴史の終わり』の内容と関係があると思うので、ラヴ・ディアス監督が20代の頃にどんな青年だったのかを簡単に教えてもらえないでしょうか？

ディアス　わたしはロックバンドをやっている頭の混乱した青年でした。20歳のときに結婚して子どもができたので、父親もしていましたね。ミンダナオ島の地方に住んでいて、養うべき家族がいたので、音楽で食べていくことを諦めました。それで大学をでたあと、1年間法律の勉強をしたのです。だから、法律の学生がどのようなものかわかっており、映画のなかでもファビアンやその仲間を法学生という設定にしたのです。

金子　最初のシーンで、ファビアンと仲間たちがカフェで、マルクス主義、歴史修正主義、ポストモダニズムなどについて議論している場面が息の長いシークエンス・ショットでつづきます。ディアス監督たちも、あのような時代を過ごしたのでしょうか。

ディアス　そのとおりです。ぼくたちの姿は、あの映画のまんまだったといっていいでしょう。常に仲間と集まって酒を飲みながら、哲学や政治、映画や音楽、ボブ・ディラン、ローリング・ストーンズ、ジョン・レノンなどについて議論をしていました。そのような仲間たちがいたことは幸運でしたね。この映画には、ぼくの青年時代がさまざまなところで反映されています。登場人物たちにも自分自身の一部が託されており、それは、このような映画をつくるときには不可避なプロセスなのだと思います。

ラスコーリニコフからの逸脱

金子　主人公のファビアンは法学生であり、ドストエフスキーの原作『罪と罰』でいえばラスコーリニコフに相当する人物ですね。たしかに金貸しの老女（とその娘）を殺し、罪に苛まれるところは原作の設定と同じですが、キャラクター設計は何か別の要素も入っています。

ディアス　最初は『罪と罰』のストーリーをなぞるところからはじめていますが、ファビアンが金貸しの老女を殺すところまでは原作に添っています。ラスコーリニコフの場合は改心していきますが、ファビアンはホアキンの妻にお金を寄付したり、ホアキンの再審をおこなおうとしたり罪を償おうとしますが、最後には凶悪なファシストへと変貌していく。ラスコーリニコフは自分の魂を救済しようとするが、ファビアンは贖罪の意識の結果、世界の方を変革しようと考えるようになる。後半はラスコーリニコフとは、まったくちがう人物になっています。

じつは映画の後半では、フィリピンで長年独裁政権をつづけたマルコス元大統領のような人物がどのように生まれたのかをファビアンの姿に重ねて描いています。タイトルにあるように、フィリピンの北《ノルテ》の地域はマルコスが生まれ育った土地であり、フェルディナンド・マルコスも若いときはファビアンのように法学生で、フィリピン大学法学部に通っていました。

金子　主人公のファビアンも人殺しという「暴力」を振るいますが、金貸しのマグダと囚人たちのボスであるワクワクもまた別種の「暴力」を行使します。

ラヴ・ディアス監督

ディアス　金貸しのマグダはラ・パス地区で、物品と引き替えに現金を貸す、いわゆる質屋のような商売を営んでいます。ホアキンの妻であるエリザやそのほかの住民は、経済的に自分たちで何とかできるときはいいのですが、そうでない場合はマグダに借金するしかない。マグダはそのことから発生する権力によって、地域の住民たちを虐げています。ワクワクは監獄のなかで腕力によって、あからさまな力の構図で権力をつかっています。

マグダの場合には富者と貧者の格差があって、刑務所のワクワクの場合は強者と弱者、力によって他人をねじ伏せるという権力構造があります。そこには金銭や力によって、ねじ伏せる人とねじ伏せられる人がいるという普遍的な対立があるのだと思います。そのような中にあって、ホアキンという善人が力には力で対抗しようとせず、善意によって対処していくところは、とても象徴的な行為になっていると思います。

金子　そのように考えていくと、ファビアンが実の姉をレイプする場面がありますが、あそこが何か強い寓意をもったものに見えてきますね。

ディアス　ファビアンは自分の考えに取り憑かれた無神論者です。ノルテと呼ばれる北部地方の実家で農場主をやっている姉は、とても敬虔なカトリックです。フィリピンはとても宗教的な社会で、8割の人がカトリック、1割がイスラム教徒、あとの1割はプロテスタントや少数民族となっています。

さて、姉を強姦するシーンですが、あれはファビアンがもっている思想から見ると、矛盾しているように見える古い家族制度や宗教を破壊する、という意味合いがあるのだと思いますね。それから、ファビアンが子どもの頃から仲のよかった犬に再会しますが、あの犬を殺してしまうのは、彼自身の心を治癒させてくれる可能性すらも拒否してしまったということです。たとえば、ファシズムというものがいろいろな因習的な家族制度や社会制度を壊してしまうと、そのあとには人間的なところが何もない廃墟だけが残されるでしょう。そこには愛の概念のようなものはまったく見当たりません。

金子　ただ、ファビアンにも彼なりに贖罪の意識があるようですね。

ディアス　ファビアンは自分が犯した殺人によって、貧しい家庭の人たちが不幸になっていくことに耐えられなかったのでしょう。だから、情けをかけるためにエリザにお金を渡したり、自分の法学生時代の仲間に呼びかけて、無実で投獄されているホアキンを再審請求によって助けようとします。そのような意味では、ファビアンにもかすかな人間性が残されていたのだと思います。しかし、映画では彼が腐敗にまみれた政治家になっていくだろう、という余韻を残しながら終わるようにしました。

ファビアンの実家が農場主という設定も、じつはマルコス元大統領の実際の境遇から借りています。マルコスの父親はイロコス・ノルテ州の国会議員になり、その後、大きな農場をもつようになりました。もとも

『北《ノルテ》』
（写真提供：恵比寿映像祭）

と裕福な家庭だったわけではありません。息子のフェルディナンド・マルコスは法学生のときに、父親の政敵であった下院議員を暗殺した容疑で有罪判決を受けています。彼はその罪によって刑務所に入ったのですが、法律の学生で非常に頭脳明晰だったので、自分自身を弁護して最高裁で無罪になりました。

ホアキンの善良さ

金子　主人公のファビアンの如才なさに対して、身代わりとして投獄されるホアキンの人格は善良そのものです。ドストエフスキーでいえば、『白痴』のムイシュキン公爵のようですが、彼に託したかったものは何なのでしょう?

ディアス　ファビアンがもっている悪というものと、ホアキンがもっている善というものとをとてもシンプルに対比させました。そこで描きたかったのは、絶対的な悪というものと、絶対的な善というものが、とても身近なところで普通にとなり合わせで存在しているという関係です。ホアキンは建設労働者なのですが、最初の方のシーンで工事中に足をケガしてしまいます。そして、ホアキンが入院しているときに、その費用を払うためにエリザがマグダへお金を借りにいく。そのことがきっかけとなって、ホアキンはだんだんとマグダといざこざになり、殺人事件の犯人にされてしまうところまでいくのです。

フィリピンの田舎にいってみると、質屋に自分がもっているものすべてを入れてしまった人たちを見かけることがあります。そのようなことは、よくあるのですね。そのような身近な問題を映画のなかに入れたいと思いました。ホアキンが投獄される刑務所の場面では、彼がつかっているベッドに小物を置いたりはしましたが、撮影では実物をつかっています。実際の囚人たちも数多く出演しています。刑務所の檻のなかで猿をペットとして飼っている人がいますが、あれもまた本物の囚人をそのままつかっています。それらを息の長いショットで撮っていくと、あのようなリアルな雰囲気がでるのですね。

一般的にフィリピンで人気のある映画は、カットの細かいハリウッド式が大半です。そのような商業映画では、すべてのものが物語的なプロットの展開に従属しています。その一方で、映画を見るときには、観客は物語の筋を追うだけではなく、映像によって空間を体験する面もあります。ぼくの映画では、ゆったりとしたカメラワークと長まわしによって、物語とは直接関係のない世界をできるだけ感じてもらおうとしています。

金子　ホアキンが刑務所のなかで何度か見る夢は、空撮で撮られた空を飛ぶ夢です。映画の最後の方では、眠っているホアキン自身の体が宙に浮くシーンもあります。何かタルコフスキーの映画やラテンアメリカ文学のマジック・リアリズムと地つづきな感じもしました。

ディアス　夢のシーンは、ヘリカムといって、ラジコンのヘリコプターにカメラをつけたものを飛ばして撮りました。身体が宙に浮くシーンは、聖人にしかできないことですから、ホアキンを完全なる善として描くために必要だったことです。ぼく自身、タルコフスキーの映画が大好きで、彼はヒーローのひとりです。じつはホアキンを演じた俳優はフィリピンのコメディアンで、これがはじめて深刻な役を演じる機会になったのですよ。

もちろん、ラテンアメリカとフィリピンは切っても切れない関係にあり、とても似たような歴史的背景をもっています。どちらもポルトガルやスペインによって征服され、植民地支配された地域です。カトリックが入ってきたところも同じですし、人びとの名前もスペイン語風のものに改められました。スペインに植民地化される前のマレー文化を消し去ることによって、征服者たちの文化であるカトリックが定着したのです。ですから、ぼくにはスペインに植民地化される前のマレー文化を、映画の力によって召還したいという面もあるのです。

金子　アンソニー・チェン監督の『イロイロ　ぬくもりの記憶』（２０１３年）に出演していたアンジェリ・バヤニが、ホアキンの妻エリザを演じています。ホアキンが投獄されたために、エリザは子どもたちを背負って辛酸をなめるのですが、もうひとりの主人公ともいえる存在感です。

ディアス　アンジェリ・バヤニには、ぼくが撮った『エンカントスの地の死』（２００７年）にも出演してもらいました。アンジェリは、もともとは映画ではなく演劇の女優なのです。

フィリピンにはもちろんマッチョな男性もいますが、ベースのところでは母系の社会であり、多くの物事が女性によって決められます。女性の力が強い。家族のなかでも母親が重要な柱になっています。その背景には、マリア信仰が強いということがあるのかもしれません。そしてまた、フィリピン女性は勇敢です。日本にもフィリピン人の女性が、さまざまな形で出稼ぎにいっています。彼女たちはそうやって見知らぬ土地へいき、仕事をして本国へ送金し、家族や親族を養うような芯の強さをもっているのです。

エリザが映画のなかで、「わたしか夫（ホアキン）が外国へ出稼ぎにでていれば、夫が無実で投獄されるようなことはおきなかった」と漏らすシーンがあります。たしかにエリザが出稼ぎにでていれば、家や自動車を買うことはできたでしょう。しかし、そうすれば彼女の家庭を壊すことになり、片親の家庭で育つ子どもたちの何かが損なわれることが嫌だとエリザは考えたのでしょうね。そのように心が壊れた子どもの典型が、ファビアンだともいえます。ファビアンの両親は外国で暮らしていて、あのような不安定な青年になってしまった。壊れた家庭で育った若い人たちが抱く疎外感というものが、フィリピンの社会では大きな問題になっています。ところで、エリザたちはノルテに住んでいて、ホアキンの刑務所はそこから遠く離れたマニラにあります。貧しさのせいもあって、エリザは現実問題としてホアキンの面会にいくことができない。同時に、エリザはホアキンが無実だと知っているので、夫が無実なのに投獄されている事実を受け入れたくないということもあります。

金子　この映画のなかには、さまざまなフィリピン社会における問題が寓意的に示されていると思いました。

ディアス　現代のフィリピン社会でもっとも大きな問題は、腐敗したシステムの問題だといえます。ぼくはそれを根本的な問題としてとらえて、この映画で描きたかったのです。弱者や敗者を容易に見捨てておきながら、社会制度を支える人たちや権力者たちは、保身的に現状を維持することに躍起になっている。そこには、とても封建的で古い体質が残存しています。そしてまた、フィリピンでは貧富の格差が激しく、深刻な事態に陥っています。貧しい家庭に生まれた人たちは、その社会制度のなかにいる限り、貧困から抜けだすことがほとんど不可能になっているのです。だから、多くの人たちが外国へ出稼ぎにでかけてしまう。そういう状況になっているのだと思います。

そうやって、アメリカ、ヨーロッパ、日本、中東、シンガポール、香港へ労働者やヘルパーとして出稼ぎにでかけたフィリピン人が本国へ送金してきます。そうした外貨は年間170億ドルにも及ぶそうです。ですから、表面的には経済的に潤っているようにも見え、政府はその傾向を歓迎しています。ところが、先ほども話したように、一度家庭へと目をむけてみると、親のいない子どもたちは非常に不安定になっており、また歴史的な連続性のなかで自分を確立することができないので、フィリピンの若い人たちの精神は根本のところから崩壊しています。フィリピンの経済発展は、人工的で表面的なものに止まっています。たとえば、こんなことがありました。サウジアラビアで建設労働に従事していた1万7000人の雇用が急になくなって、その人たちがごっそり帰国した。しかし、帰国しても全然雇用はないのです。このように、フィリピンはいつバブルがはじけるかわからない、根っこのない不安的な経済発展にあるといえるでしょう。

（通訳＝川口隆夫）

ラヴ・ディアス監督は、
次は日本軍政下のフィリピンについての映画を撮ろうとしているんだとか。

今でこそフィリピンと日本は友好関係にありますが、
過去に日本はフィリピンを**占領**し、多くの犠牲者を生んだのです。

フィリピンの首都**マニラ**では、
二度も日米の戦争に巻き込まれたのです…

1941年 1942年

日米が太平洋戦争のまっただ中、日本軍はフィリピンの首都マニラを占領します。

コレヒドール島

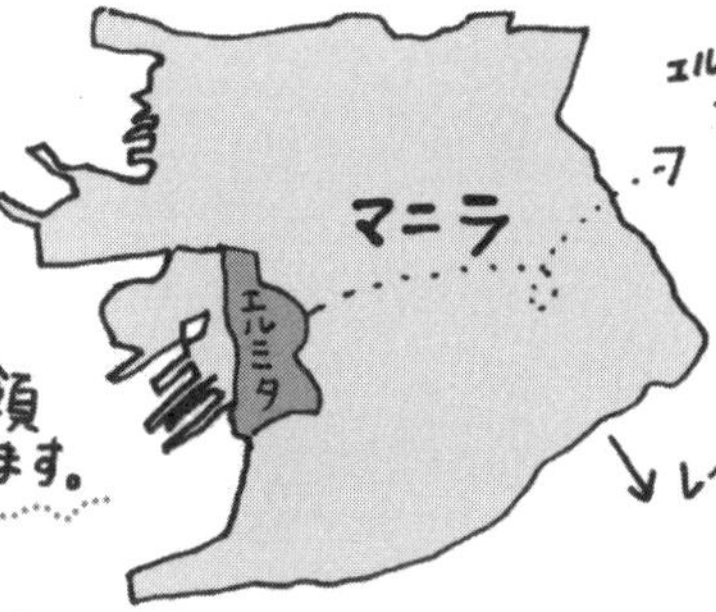
エルミタという所は、スペイン文化の残る街だったけれど、今は失われ、風俗街になっています…。
レイテ島はもっと下!!

マッカーサーはコレヒドール要塞に立て込もり、「オープンシティ（無防備都市）」と宣言し、都市の破壊や民間人の被害を防ぎました。しかし、
マッカーサーは「I shall return. 必ずや私は戻るだろう」と言ったように、
再びマニラが巻き込まれるのです…

過去にあった事を忘れないようにしよう!!

1945年
マニラ市街戦

では、多くの市民が残留したまま行われました…

立て込もった日本軍を完全に掃討するまで、戦闘は1カ月続いたのです。

そこでゲリラと民間人の区別がつかないという理由で、沢山の罪の無い人々が日本軍によって、殺されてしまいました…日本軍は、エルミタ地区において、集団レイプをしたという事件も証言として残っています。


マニラだけではなく、フィリピンの列島は戦闘に巻き込まれているのです。

映画『野火』では、レイテ島が舞台になっています。こちらもみてほしい!!

⑭クメール・ルージュと生存者の記憶——リティ・パンとの対話

［カンボジア］

カンボジア出身のリティ・パン（1964年生まれ）は少年期だった1970年代なかばに、ポル・ポト率いるクメール・ルージュによる強制労働と虐殺の時代を経験し、家族の何人かとも死別してしまった。その後、フランスに亡命して映画監督となり、カンボジアにおける粛清の時代に光をあてるドキュメンタリー映画『S21 クメール・ルージュの虐殺者たち』（2003年）や『ドッチ 地獄の収容所長』（2011年）、その時代の記憶を土人形をつかって描いた劇映画『消えた画』（2013年）を発表している。「難民」という意味をもつ近作『エグジール』（2016年）では、少年時代の記憶をもとに物語をつむいでいる。クメール・ルージュ時代の虐殺と強制労働をテーマにした作品群について、正面からじっくりと話をうかがった。

『S21』とクメール・ルージュ

金子遊　まず『S21　クメール・ルージュの虐殺者たち』という作品についてうかがいます。トゥールスレン収容所の生き残りの画家バン・ナットは、加害者側であった当時の看守たちに再会します。彼が「どうしてあんなことをした？」と問いつめても、元看守たちは「そういう時代だった」「強制されていた」「処刑しなければ自分が殺されていた」といい逃れます。どうして、あなたはこの映画で「被害者」と「加害者」を引き合わせるという方法を映画のなかにもちこんだのでしょうか。

リティ・パン　それは、わたしにもわかりません。わたしが選択したわけではないからです。それぞれの人が選んで、あのような方法が生まれました。もちろん、犠牲者であるバン・ナットさんに、虐殺の加害者側である元看守たちと会うことを強制することはできません。ただ、バン・

ナットさんの方から、わたしが元看守たちにインタビューするときに同行したいと申し出があった。わたしは「対決」という言葉をつかいたいのですが、そうやって犠牲者と加害者とのあいだの「対決」の場ができたのです。バン・ナットさんは自分の物語と自分の真実をもっている。看守や処刑人にも自分たちの物語と真実がある。そこに対立があり、『S21』という映画が形づくられていきました。

わたしが描きたかったのは、クメール・ルージュが高校の校舎をそのまま つかった「S21」と呼ばれる収容所という場所で、囚人たちの生活がどのようなものだったのか、ということです。「S21」がどのように機能していたのかを知りたかった。こうした細部を理解することが必要でした。もしかしたら、歴史家たちはそのような細部にあまり興味をもたないかもしれない。ただ、歴史にはできる仕事があり、一方で映画にもできる仕事があるのだ、ということです。

金子　『S21』に登場する元看守たちは、四半世紀前に自分がした拷問や虐殺を忘れています。あるいは、鬱にならないために思いださないようにしている。それに対して、バン・ナットは彼らに書類を丁寧に読みきかせ、彼がその時代におきた収容所内のできごとを描いた絵画を見せます。それとは別に、リティ・パン監督は彼らに当時の身体動作をなぞらせる、再現させることでその記憶を蘇らせようとします。この演出はどのように生まれてきたのでしょうか?

パン　まず、わたしが元看守たちに身体動作を再現するように頼んだわけではないことをいっておきたいと思います。それから、あなたは「演出」といいましたが、あれは演出ではありませんでした。もし元看守たちに動作をしてほしいと頼んだとしたら、あるいは、演出でそうしたとしたら、わたしが撮影する時点ですでに、それがどのような行動や動作であったかを知っていたことになります。むろん、わたしは知らなかったのです。

わたしの映画がもたらしたものは、身体の記憶だと思います。何かを見たときに、その色や触感などの記憶が焼きつくのと同じように、身体動作も身体に焼きつくのです。クメール・ルージュの犠牲者たちのなかには、30年以上が経過した現在でも、拷問にあったときの身体的な苦痛を身体に保持している人がいます。それは虐殺者の側でも同じことです。たとえば、元看守たちに拷問したときのことを訊ねるとうまく語ることができない。インタビューをするなかで、語りを補完する形で、あれらの動作がでてきました。それはわたしが撮影を進めるなかで発見したことであり、その方向へと映画づくりを適応させていったということができるでしょう。

リティ・パン監督

『ドッチ』『消えた画』

金子　『ドッチ　地獄の収容所長』のために、あなたは300時間にわたって執念のインタビューをつづけました。映画では、ドッチことカン・ケク・イウは「党幹部のいうとおりにしなければ自分が粛清されていた」とか「国家はわたしの自由を奪い、『S21』の所長になるように強いた」と主張し、自分は命令どおりに動いた官僚にすぎないと責任逃れをしようとします。それに対して、あなたは彼の目前にあるテーブルの上にさまざまな書類や写真を用意して、思いださせようとする。あるいは『S21』の看守たちのインタビュー映像を見せて彼を追いつめます。しかし、彼は容易に本音を吐こうとしない。そこで、あなたはドッチに「絶対的にアンカー（組織）に従います」「学び、食べ、集団農場で働きます」「個人主義的な感覚をもつ必要はありません」などと、いまでは空疎に響く当時のクメール・ルージュのスローガンを読ませます。これによって、あなたはドッチのなかの何を呼び覚まそうとしたのでしょうか？

パン　『ドッチ』のような映画をつくるためには、撮る側と撮られる側の合意が必要になってきます。だから、まず彼とふたりで徹底的に話し合いました。「このような映画プロジェクトがあるのだけれど、参加するつもりはあるか」と訊ねました。そして、相手が受け入れたところから監督としてのアプローチをはじめました。これはとても複雑な作業で、わたしはそのために2年以上を費やしました。

わたしが最初に興味をもったのは、クメール・ルージュの全体主義的な体制において、イデオロギーとしてつかわれた言葉でした。拷問や殺人などの組織犯罪を動かすための原動力になるような言葉が存在するのか、それが存在するとすればどういったものなのか。それから、重要なのはドッチのような命令を下す側と、元看守たちのような命令を下される側の人間たちに犯罪の意図があったのかどうか。40年前にどれだけの人数が殺されたのか、その数字をわたしたちは把握していません。しかし、そこに虐殺をおこなう意図や意志があったのかどうかはわかりません。これはわたしなりの視点であり、ほかの監督がドッチを撮れば別のアプローチの仕方があるでしょう。

『ドッチ』を撮るときに、わたしの方で何をどのように撮るのかを決めることはできませんでした。撮られる対象者とじっくり話し、その人物の人となり、その人が当時負っていた責任のレベル、彼がもっている知識や受けた教育のレベルなど、そういったものをすべて知るために議論を重ねる必要がありました。そのあとで、やっと撮影方法を考える段階に入ることができるのです。撮影対象の同意がえられたあとで、映画の美的な点を考えることができるわけです。ですから、まずはその人物を見極めるという作業が欠かせません。

『S21』

金子　あなたの『消えた画』という映画は、1975年以降のプノンペン市民（主に都会人、知識層）らの、集団農場や農村への強制労働や虐殺をあつかっています。『消えた画』は自伝的な作品ですが、貧しい農民出のあなたの父親は勉学を重んじ、断食をして抵抗して死んだ物語になっています。あなたがクリストフ・バタイユとの共同作業で書き上げた『消去』という本を読むと、その父が前政権の文部大臣の官房長をつとめた上院議員で、権力闘争に負けた側面があることがわかります。

また劇映画である『消えた画』では、父、母、兄弟姉妹たちは強制労働と飢餓のなかで死んでしまいます。自伝である『消去』では、クメール・ルージュの撤退後にあなたは姉のひとりと再会し、ヨーロッパにいる四人の兄を頼って、タイの難民キャンプからフランスへ移住します。『消去』を読んでいて衝撃的だったのは、クメール・ルージュが亡くなった人たちを子ども、女、男にわけて、正確に別々に埋めたという記述でした。『消えた画』のラストシーンでは、あなたの父親の遺体が「土」に埋められます。犠牲者たちの埋められた土から人形をつくり、それを映画に撮ることにこめた思いを教えてください。

パン　生命というものは、自然の要素でできているのだと思います。わたしたちは塵から生まれて、最後には塵にもどっていくのだとわたしは考えます。そして、生命の要素には、水、土、風、火などがあって、それらの元素が生命そのものなのだと思っています。『消えた画』における土人形もまた、土や水や太陽からできており、そういった生命の要素をもつものからつくられた人形が、歴史を語るという形をとりました。それはまるで亡くなった人がもどってきて、自分の物語を語り、また土にもどっていくようなものです。そして、あとに残るのはフィルムに焼きつけられた記憶だけなのです。

この映画のなかで、土人形は一切動かないのですね。たとえば、フィクションの映画を撮るときには俳優に演技指導をしますよね。その指導に失敗すれば、その映画はスペクタクルとしての映像に堕してしまいます。わたしはそのようになることを望まなかったので、それを避けるために人間ではなく、自然の要素から生まれた土人形に自分たちの物語を語ってもらう必要があったのです。それぞれの物語が語られることによって、亡くなった人たちの「歴史」がわたしたちに手渡されるのだと思います。

『エグジール』

金子　『エグジール』は土人形こそつかわないものの、『消えた画』と似た撮影スタイルでつくられていると思いました。これは家族が亡くなったあとに、生き残ったあなたをモデルにした少年を描いているのでしょうか？　彼の眠る小屋を舞台に、そこにさまざまな幻影が立ち上がってきます。このようなスタイルにしたのはなぜか、そして、そのことによってどのような試みをしているのでしょうか？

『エグジール』
（写真提供：東京フィルメックス事務局）

パン　『エグジール』でわたしの分身である主人公が寝起きする小屋ですが、これは母親の胎内のような空間だと考えています。家というのは、わたしたちにとってもっとも安心できる空間です。そこにいれば、守られていると感じられます。クメール・ルージュの体制下においても、それは同じでした。たとえ、そのほとんどの時期にわたしたちが家をもつことができなかったとしても。この映画にでてくる小屋は家の原形であり、母なる存在でもあるのです。『エグジール』の物語のなかでは、母親の存在がとても重要な意味をもっています。その小屋のなかにいると、主人公の少年にいろいろな思い出がよみがえってきます。

この時代のように大量虐殺がおきているときには、ひとりひとりの人間にとって思い出が、かけがえのないものに感じられるのですね。もし彼らが思い出を守ることができれば、そして、かすかな記憶を感じることができれば、アイデンティティを完全に破壊する行為に対抗することができる。思い出は、その人自身の物語です。その人にしか属することがないものです。そこにしがみつき、日々の屈辱や苦痛といったものを何とかやり過ごすしかなかったのだと思います。

金子　『エグジール』のもう1つの主役といえるのが、その多くがクメール・ルージュ時代に失われたとされていた60年代から70年代にかけての、カンボジアのニュースフィルムです。ドラマ映像にニュースフィルムを大胆に挟んでいく方法によって、あなたはどのような効果を狙ったのでしょうか?

パン　ニュースフィルムをつかう方法は、思い出を語るために適した方法として選びました。ここにでてくるニュース映像は、主人公の少年が夜な夜なみている夢のなかのイメージです。彼が小屋のなかにいるときに、壁にいくつもの映像が浮かびあがってくるシーンがあります。それを見ているのは、少年自身であり、イメージが外在化されています。それから、少年が音楽をきい

クメール・ルージュとは？

ポル・ポト率いる共産主義政治勢力のこと。

ベトナム戦争に巻き込まれたカンボジア…
アメリカから大量の爆弾が投下されたりする中、その時政権を握っていたロン・ノルは、アメリカを後ろ盾に。クメール・ルージュは、カンボジア王家出身の国家元首、ノロドム・シハヌークと手を組み、内戦へ…
共に大量虐殺を行い、クメール・ルージュが首都プノンペンを制圧し、
内戦に勝利し、落ち着くかと思いきや、ここからがもっとひどかった…

原始共産主義という。
原始時代って、お互い協力しあってて、すばらしい!! やっぱ農業でしょ!! 私有地とかいらないから!!

という考えのもと、
多くのプノンペン市民を強制移住させ、公務員、医師、教師など職歴のあるものは財産を没収、農業と過酷な労働を強いられました。
仕事の不満を述べたり、食糧をかくしたり、規則を破ったものは、
拷問を受けた後に処刑されました… ひどすぎる!!!
最終的には、眼鏡をしているとか文字が読めるとかでも殺されていた…

カンボジアの
人口ピラミッド
2019

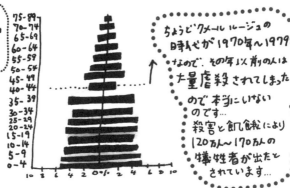

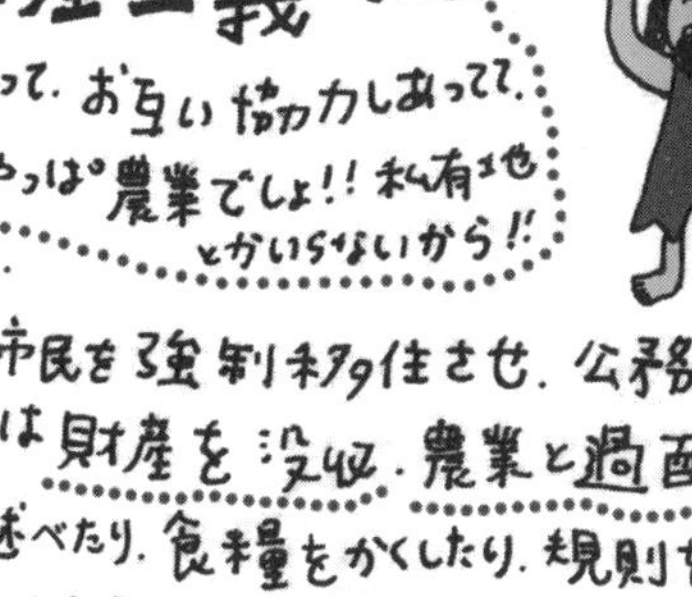

ちょうどクメール・ルージュの時代が1970年〜1979年なので、その年以前の人は大量虐殺されてしまったので本当にいないのです…
殺害と飢餓により120万人〜170万人の犠牲者が出たとされています…

たり、絵を描いたりする場面があります。これはもちろん、当時はクメール・ルージュによって娯楽としての音楽や絵画は禁止されていたので、彼が自分の記憶のなかで想起していることです。

1つたしかにいえるのは、この少年は記憶のなかで生きつづけているということでしょう。彼は自分の記憶のなかで、ロックや歌やダンスやそういった禁止されたものを取りもどしている。これこそが、全体主義の体制に対して、内側に自由をもつことで抵抗することなのだと思います。少年が死んでしまった両親を弔って、お墓をつくるシーンがあります。これも無論、記憶のなかでおきていることにすぎません。実際には、あの時代に亡くなった人たちのお墓は、どこにあるのかわからないような状態だったのです。この場面でわたしは、全体主義が無に帰そうとしたものに対して、ひとりの弱い少年という存在が記憶の力で抵抗している姿を示そうとしました。

あとがき

わたしはひとりのドキュメンタリー映像の表現者としても、ひとりの映画の批評家としても、他者にインタビューすることは基本中の基本だと考えており、日頃から鍛錬としてインタビュー記事を作成することにしています。他者との対話という即興的な音楽のなかで、文脈の線を見いだし、それを展開し、複雑な描線をえがきつつ、表面的な言葉にとどまらない深度で思考を響かせあう行為は、もっとも創造的な行為の1つだと信じているからです。

本書に収めたほとんどのインタビューが、『ドキュメンタリーマガジン neoneo』のウェブ版である『neoneo web』に発表されたものです。neoneo 編集室の伏屋博雄、佐藤寛朗、若林良、吉田悠樹彦の各氏に感謝します。

ペドロ・コスタ監督へのインタビューは『neoneo web』に初出のあと、『ホース・マネー』の劇場公開時に抄録がプレスリリースと映画パンフレットに掲載されました。黒沢清監督との対話は、多摩美術大学芸術学科「21世紀文化論」の公開授業として開催され、同学科のサイトにインタビュー記事として発表したものです。想田和弘監督へのインタビューは、『ドキュメンタリーマガジン neoneo』第11号の「総特集　ダイレクト・シネマの現在」に収録しました。トニー・ガトリフ監督へのインタビューは、『neoneo web』に初出のあと、共編著『国境を超える現代ヨーロッパ映画２５０』（河出書房新社、２０１５年）に収録したものです。キドラット・タヒミック監督との対話は、抄録を『キネマ旬報』誌に掲載したあと、完全版をはじめて本書に入れることになりました。

誰よりもまず、こころよくインタビューに応じてくださった14人の映画監督に心から感謝を申しあげます。それと同時に、海外の映画作家たちへのインタビュー取材は、配給会社、パブリシスト、映画祭事務局、通訳者、編集者らの協力なしには実現しえないものでした。そのような意味では、本書はまさに次にあげる個人や団体とのコラボレーションとして成り立ったものであり、この場を借りて謝意を表明します。

藤原敏史、碓井千鶴、西宮由貴（東京テアトル株式会社）、高野勢子、福崎裕子、斉藤陽（プレイタイム）、ショーレ・ゴルパリアン、宇野由希子、矢野和之、川口隆夫の各氏。そして、山形国際ドキュメンタリー映画祭事務局、シネマトリックス、恵比寿映像祭、東京テアトル株式会社、多摩美術大学芸術学科研究室、合同会社東風、フランス映画祭、ビターーズ・エンド、岩波ホール、東京フィルメックス事務局、東京国際映画祭事務局ほか、取材に関わってくださったすべてのみなさま。

カバーと扉のためにイラストを描きおろし、映画監督との対話を多角的に楽しむためのマンガを描いてくれたイラストレーターの住本尚子さん、それから本文の組版と装釘を担当してくれた大友哲郎君にこの場を借りてお礼をいいたいと思います。編集者の後藤亨真君はこのほど、長らく在籍していた水声社から独立し、新しい出版のプラットホームであるコトニ社をスタートさせました。その立ち上げ時のラインナップに本書を選んでくれたこと、そして本書に関わるエディトリアルな作業をスムーズに進行してくれたことに心から感謝します。本書『ワールドシネマ入門』が映画や旅を愛する多くの方々の手にとどき、良き指南書として役立つことを祈念しています。

2020年1月　ベトナム中部高原にて

金子遊

＊本書に掲載した漫画は、各種の書籍やウェブサイト（Wikipediaを含む）を参考にしつつ、一部表現を改めて使用させて頂いております。この場を借りて、描き手より執筆者のみなさんに感謝とお詫びを申しあげます。

著者＝金子遊（かねこ・ゆう）
映像作家、批評家。多摩美術大学准教授。アジア、中東、アフリカを旅しながら、映画とフォークロアを研究している。著書『映像の境域』（森話社）でサントリー学芸賞〈芸術・文学部門〉受賞。他の著書に『辺境のフォークロア』（河出書房新社）、『混血列島論』（フィルムアート社）、『悦楽のクリティシズム』（論創社）など。共編著に『映画で旅するイスラーム』（論創社）、『ジャン・ルーシュ』（森話社）ほか多数。

イラスト＝住本尚子（すみもと・なおこ）
イラストレーター、映像作家。多摩美術大学版画学科卒業。誰かの生活と地つづきな映画にまつわるウェブマガジン『Filmground』主宰。『Filmground』、『IndieTokyo』、『ドキュメンタリーマガジン neoneo web』などを中心に、エッセイと映画イラストレーションを発表。インディペンデント映画やアニメーションを監督、製作している。近年は東南アジアへの旅にはまっている。

ワールドシネマ入門

世界の映画監督14人が語る
創作の秘密とテーマの探求

著者 金子遊
イラスト 住本尚子

2020年4月1日　第1刷発行

発行者 後藤亨真
発行所 コトニ社
〒274-0824　千葉県船橋市前原東 5-45-1-518
TEL: 090-7518-8826
FAX: 043-330-4933
https://www.kotonisha.com

印刷・製本 モリモト印刷
組版・装釘 大友哲郎

ISBN978-4-910108-02-5